Susanna Jarausch · Ilse Stangl

Voll fit in Mathematik

So schaffst du den Sprung ins Gymnasium!

Inhaltsverzeichnis

www.lernfit.at

ISBN 978-3-7074-0984-0

1. Auflage 2003, Nachdruck 2009 (1,05)

Illustrationen: Elena Obermüller
Satz: Manuela Strasser
Printed in Europe

Bevor du beginnst

Du hast ein neues Ziel.
Du willst dich auf das nächste Schuljahr gut vorbereiten.
Du willst bereits Erlerntes wiederholen.

Dieses Buch kann dich dabei unterstützen:

- Arbeite etwa vier Wochen lang täglich ungefähr 50 Minuten. Mach am Wochenende Pause!
- Wenn du zum ersten Mal mit diesem Buch übst, arbeite die Seiten der Reihe nach durch.
- Besorge dir ein neues Übungsheft, einen schönen Block oder eine hübsche Mappe. Du brauchst auch farbige Stifte, für den Mathematik-Teil ein Geodreieck und für die Deutschteile ein Wörterbuch und ein Lineal.
- Suche dir einen ruhigen Arbeitsplatz und bereite deine Unterlagen (Buch, Heft, Stifte ...) vor. Am besten bewahrst du sie gemeinsam in einer eigenen Ferienübungsschachtel oder -tasche auf.
- Wenn du die Übungen im Buch mit Bleistift in einer netten Schrift schreibst, behältst du leichter den Überblick.
- Lass dir beim Kontrollieren von einem Erwachsenen helfen. Radiere Falsches aus, denn nur Richtiges soll im Buch stehen!
- Vorschlag eines Tagesplanes für einen Ferien-Übungstag:

Am Vormittag: Ausgeschlafen frühstücken
30 Minuten konzentriert arbeiten
An die Luft gehen und bewegen
Obst essen
10 Minuten wiederholen
Spielen oder lesen
Mittagessen

Am Nachmittag: Mit Sport oder Freunden einen schönen Nachmittag verbringen
Viel Wasser trinken

Am Abend: 10 Minuten wiederholen
Abendessen
Im Bett noch ein bisschen lesen

Nur konzentrierte Arbeit führt zum Ziel.

Viel Spaß und Erfolg wünschen dir

Ilse und Susanna

Addition

Was ist das?	Grundrechnungsart, Zahlen werden zusammengezählt, Operationszeichen +	Bei der schriftlichen Addition werden die Zahlen nach Stellenwerten geordnet untereinander geschrieben. Das heißt: Einer unter Einer, Zehner unter Zehner ...
Signalwörter in Textaufgaben:	Gib dazu, zusammen, insgesamt, plus, und, Gesamtsumme, Summe, addiere ...	Wenn du in der Angabe einer Textaufgabe eines der Signalwörter siehst, löse die Rechnung oder diesen Teil der Aufgabe mit Hilfe der Addition.
Umkehraufgabe:	Subtraktion	Als Probe für die Addition verwende die Subtraktion.
Auch das musst du wissen:	456 Summand 789 Summand 1 245 Summe	Summand plus (+) Summand ist gleich (=) Summe Du kannst beliebig viele Summanden addieren.
Merke dir besonders:	Beginne beim Einer des untersten Summanden zu rechnen.	456 789 ⇧ 1 245
Dein Rechenspruch:	456 789 1 245	9 + 6 = 15 — 5 an, 1 weiter 1 + 8 + 5 = 14 — 4 an, 1 weiter 1 + 7+ 4 = 12

Zusammenfassung:

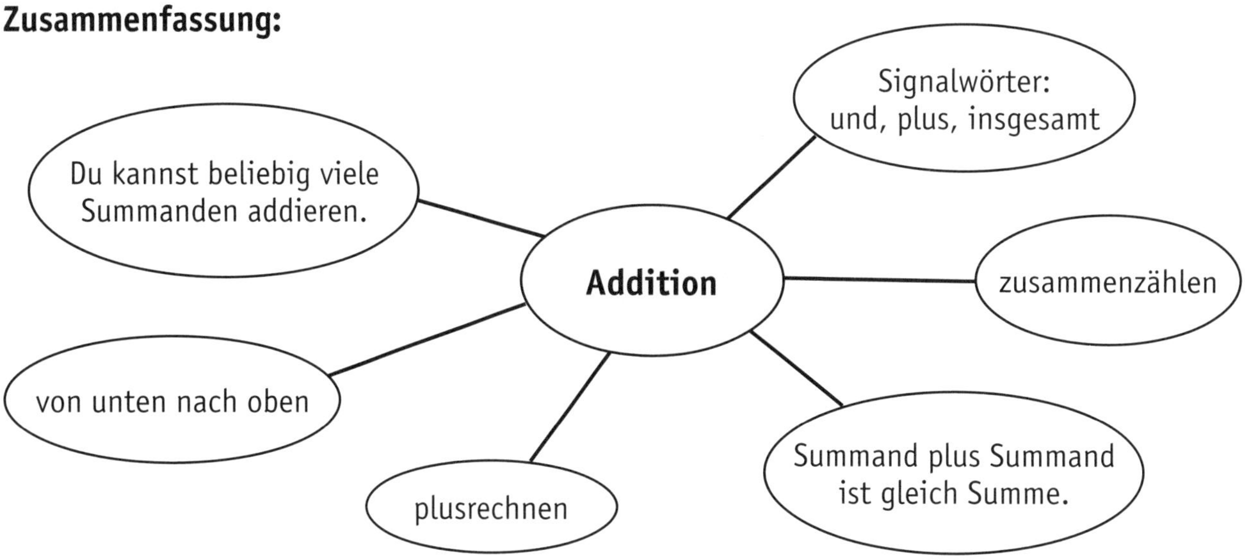

Übungsbeispiele Addition:

254	129	163	175	314	412
315	630	525	423	105	287

267	341	519	667	937	654
378	298	47	89	106	456

478	117	163	139	183	197
259	231	127	156	168	264
145	169	189	133	147	155

39	108	139	167	139	197
21	66	158	198	167	189
18	82	87	189	188	276
25	106	98	63	67	97

---

21 365	59 070	36 524	70 830	45 769	24 618
31 982	48 701	18 963	12 089	61 985	99 999

34 567	91 234	56 782	89 123	23 456	71 023
345	89	981	56	678	1 234
9 823	56	20 340	304	4 501	29

Subtraktion

Was ist das?	Grundrechnungsart, die kleinere Zahl wird von der größeren abgezogen, Operationszeichen –	Bei der schriftlichen Subtraktion werden die beiden Zahlen nach Stellenwerten geordnet untereinander geschrieben. Das heißt: Einer unter Einer, Zehner unter Zehner ..., dabei muss immer die größere Zahl oben stehen.
Signalwörter in Textaufgaben:	minus, weniger, subtrahiere, vergleiche, ziehe ab, berechne die Differenz, um wie viel älter, (größer, länger...)	Wenn du in der Angabe einer Textaufgabe eines der Signalwörter siehst, löse die Rechnung oder diesen Teil der Aufgabe mit Hilfe der Subtraktion.
Umkehraufgabe:	Addition	Als Probe für die Subtraktion verwende die Addition.
Auch das musst du wissen:	456 Minuend – 207 Subtrahend 207 Differenz	Minuend minus(–) Subtrahend ist gleich (=) (Wert der) Differenz Üblicherweise wird ein Subtrahend von einem Minuenden abgezogen.
Merke dir besonders:	Beginne beim Einer des Subtrahenden zu rechnen.	456 – 249 ⇧ 207

Dein Rechenspruch:

456	9 und wie viel ist 16?	9 + 7 = 16	7 an, 1 weiter
– 249	1 + 4 = 5		
207	5 und wie viel ist 5?	5 + 0 = 5	0 an, 0 weiter
	2 und wie viel ist 4?	2 + 2 = 4	2 an

Zusammenfassung:

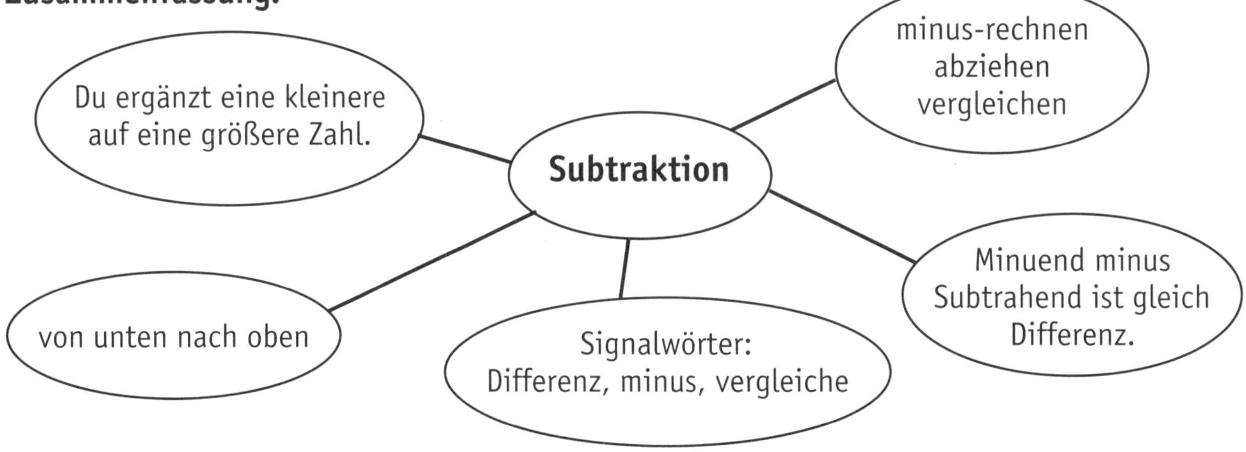

Übungsbeispiele Subtraktion:

438 − 215	736 − 524	1 563 − 451	942 − 630
778 − 435	716 − 103	1 295 − 439	1 769 − 804
729 − 456	838 − 161	1 419 − 348	856 − 696

---

994 − 128	585 − 269	607 − 229	1 300 − 778
2 845 − 1 267	367 − 159	3 234 − 1 286	877 − 799
3 004 − 1 785	1 026 − 937	2 905 − 1 098	6 001 − 2 785

---

21 365 − 9 875	59 070 − 18 799	36 524 − 2 918	70 830 − 9 947
45 769 − 8 914	24 618 − 1 289	23 456 − 19 012	71 023 − 62 135
34 567 − 24 568	91 234 − 84 568	56 782 − 49 005	89 123 − 86 901

Multiplikation

Was ist das?	Grundrechnungsart, abgekürzte Form der Addition gleicher Summanden, Operationszeichen ·, x am Computer *	Bei der schriftlichen Multiplikation werden die Zahlen einzeln malgenommen.
Signalwörter in Textaufgaben:	Vervielfache, das Vierfache – x-fache einer Zahl; eine Person bezahlt X €, wie viel bezahlen 5 Personen?	Wenn du in der Angabe einer Textaufgabe eines der Signalwörter siehst, löse die Rechnung oder diesen Teil der Aufgabe mit Hilfe der Multiplikation.
Umkehraufgabe:	Division	Als Probe für die Multiplikation verwende die Division.
Auch das musst du wissen:	Multiplikand · Multiplikator Produkt	Multiplikand mal (·) Multiplikator ist gleich (=) Wert des Produktes.
Merke dir besonders:	Beginne beim Einer zu rechnen.	456 · 5 2 280
Dein Rechenspruch:	456 · 5 2 280	5 · 6 = 30 — 0 an, 3 weiter 5 · 5 = 25 + 3 = 28 — 8 an, 2 weiter 5 · 4 = 20 + 2 = 22

Zusammenfassung:

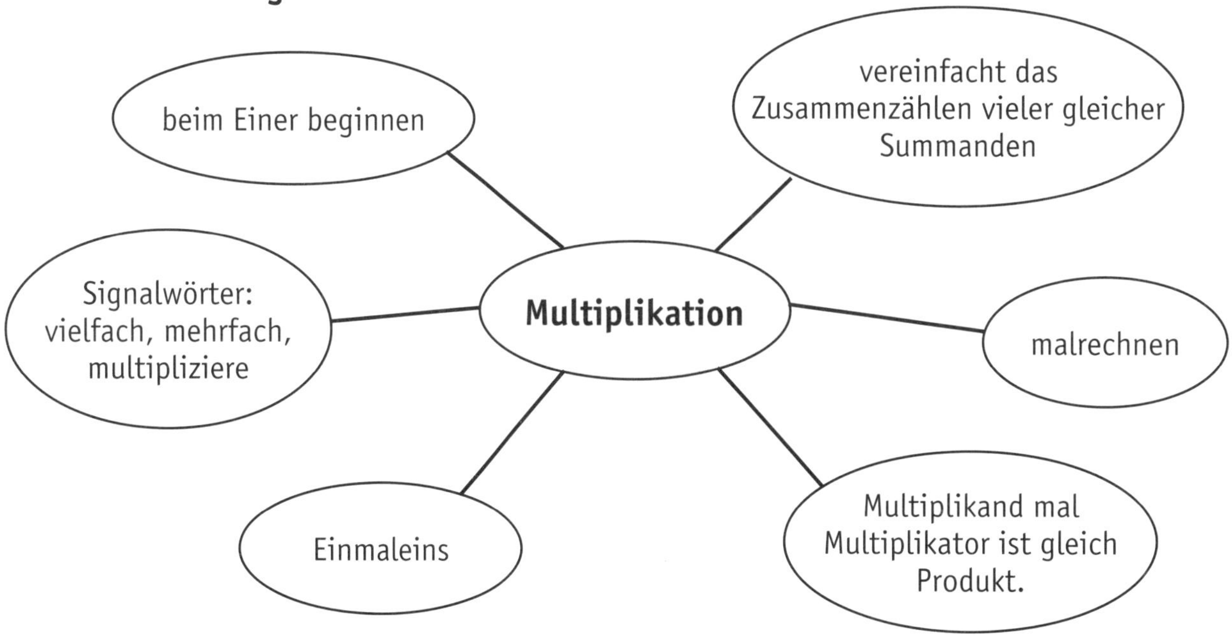

Übungsbeispiele Multiplikation:

315 · 4	635 · 3	525 · 2	175 · 4
267 · 9	341 · 8	519 · 7	287 · 3
667 · 6	937 · 5	654 · 3	89 · 9

108 · 9	404 · 7	370 · 2	198 · 6
4 012 · 7	1 234 · 3	2 076 · 7	2 700 · 5
5 708 · 3	7 065 · 9	2 890 · 7	9 763 · 4

1 322 · 9	2 340 · 2	3 056 · 8	4 507 · 3
10 786 · 5	12 304 · 6	7 004 · 4	8 594 · 7
2 020 · 5	5 808 · 8	2 469 · 5	7 613 · 6

Division

Was ist das?	Grundrechnungsart, Zahlen werden geteilt, Operationszeichen : (am Computer /)	Bei der schriftlichen Division werden die Zahlen nebeneinander angeschrieben.
Signalwörter in Textaufgaben:	teile, dividiere, wie oft enthalten, durchschnittlich, für jeden	Wenn du in der Angabe einer Textaufgabe eines der Signalwörter siehst, löse die Rechnung oder diesen Teil der Aufgabe mit Hilfe der Division.
Umkehraufgabe:	Multiplikation	Als Probe für die Division verwende die Multiplikation.
Auch das musst du wissen:	Dividend : Divisor = Quotient	Dividend durch (:) Divisor ist gleich (=) Quotient
Ein guter Tipp:	Beginne damit, die Stellenwertanzahl des Ergebnisses zu bestimmen	8 640 : 9 = 960 54 00
Dein Rechenspruch:	8 640 : 9 = 960 54 00	9 ist in 86 9 mal enthalten 9 an (hinter =) Rest errechnen: 9 x 9 ist 81 und wie viel ist 86? Und 5 ist 86 (wird unter die 6 geschrieben). WICHTIG: Der Rest muss kleiner sein als der Divisor! 5 < 9 ⇨ stimmt! Nächste Stelle 4 herab (wird neben den Rest geschrieben – jetzt steht dort 54) Weiter mit: 9 ist in 54 wie oft enthalten? ...

Zusammenfassung:

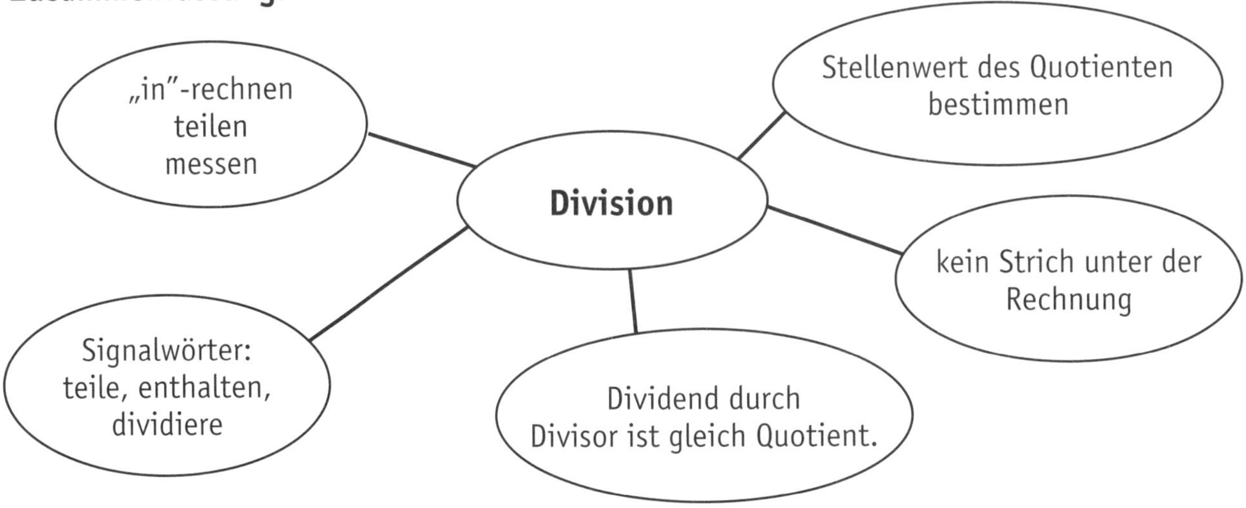

Übungsbeispiele Division:

4 862 : 2 = ____ 8 448 : 4 = ____ 9 663 : 3 = ____

6 743 : 5 = ____ 9 461 : 6 = ____ 8 736 : 7 = ____

14 635 : 2 = ____ 22 964 : 9 = ____ 22 847 : 8 = ____

48 403 : 6 = ____ 68 270 : 7 = ____ 90 747 : 9 = ____

18 053 : 4 = ____ 77 690 : 8 = ____ 28 403 : 5 = ____

39 504 : 4 = ____ 19 008 : 9 = ____ 25 452 : 7 = ____

Quiz 1

Addition / Subtraktion/ Division / Multiplikation

In den letzten Kapiteln hast du alles Notwendige über die vier schriftlichen Grundrechnungsarten gelernt. Auf dieser Quizseite sollst du nun überprüfen, ob du dir alles gemerkt hast.
Setze in den folgenden Text die fehlenden Wörter sinngemäß richtig ein:

Multiplikation, Strichrechnungen, stellenwertgenau, Division, Addition, Subtraktion

Die ____________________ ist eine Rechenart, bei der Summanden zusammengezählt werden. Die Umkehraufgabe dieser Rechenart ist die ________________. Beides sind _________________. Die einzige schriftliche Rechenart, bei der die Zahlen ohne Unterstreichung angeschrieben werden, ist die __________________. Sie ist eine Punktrechnung und ihre Umkehraufgabe heißt _________________.
Bei Plus-, Minus- und Mal-Aufgaben ist es wichtig, alle Zahlen ____________________ untereinander aufzuschreiben.

Verbinde die folgenden Begriffe:

plusrechnen		malnehmen
Punktrechnung	**Addition**	Dividend
Divisor		Summanden
Multiplikator	**Subtraktion**	Minuend
Summe		messen
Strichrechnung		Punktrechnung
Subtrahend	**Multiplikation**	minusrechnen
Quotient		Differenz
Produkt	**Division**	Strichrechnung
teilen		Multiplikand

Entscheide dich für die richtige Antwort:

1. Bei welcher Rechenart muss immer die größere Zahl oben stehen?

a) Subtraktion b) Addition

2. Bei welcher Rechenart können beliebig viele Zahlen untereinander angeschrieben werden?

a) Multiplikation b) Addition

3. Der Doppelpunkt als Operationszeichen gehört zur

a) Addition b) Division

4. Wie heißt die Umkehraufgabe der Division?

a) Multiplikation b) Subtraktion

5. Der Quotient ist das Ergebnis der

a) Multiplikation b) Division

6. Die Summe ist das Ergebnis der

a) Multiplikation b) Addition

7. Die Differenz ist das Ergebnis der

a) Subtraktion b) Multiplikation

8. Wie heißt das Ergebnis der Multiplikation?

a) Produkt b) Antwort

Hast du alles gewusst? Du kannst stolz auf dich sein. Wenn sich der eine oder andere Fehler eingeschlichen hat, lies in den Übungskapiteln nach und wiederhole den Test, sobald du glaubst, alles zu wissen.

Runden

Was ist das?	Runden bedeutet so viel wie eine Zahl ungefähr richtig, aber z. B. nur in reinen Zehnern oder Hundertern anzugeben.	Wer in einem Geschäft 98 € bezahlt, bezahlt demnach fast 100 €.
Das Rundungszeichen:	Eine gerundete Zahl erkennst du daran, dass ein Rundungszeichen (≈) davor steht.	≈ 10 bedeutet also nicht genau 10, sondern eine Zahl nahe an 10 (z. B. 9 oder 11).
Wie wird gerundet?	Um den Rundungsfehler, also den Unterschied zur tatsächlichen Zahl, möglichst gering zu halten, gibt es Rundungsregeln.	Runde ab: 11, 12, 13, 14 Runde auf: 15, 16, 17, 18, 19
Auf Zehner runden:	Das bedeutet, die angegebene Zahl als reine Zehnerzahl, also mit einer 0 an der Einerstelle anzugeben.	ab: 11 ≈ 10 12 ≈ 10 13 ≈ 10 14 ≈ 10 auf: 15 ≈ 20 16 ≈ 20 17 ≈ 20 18 ≈ 20 19 ≈ 20
Auf Hunderter runden:	Rundungsregel: Beachte die Zahl an der Zehnerstelle! Bei 1, 2, 3 und 4 runde ab, d.h. du lässt die Einer- und Zehnerstelle einfach weg. Bei 5, 6, 7, 8 und 9 runde auf den nächsten Hunderter auf.	122 (2 an der Zehnerstelle heißt, du musst abrunden): 122 ≈ 100 185 (8 an der Z-Stelle heißt, du musst aufrunden): 185 ≈ 200

Zusammenfassung:

Über das Runden von Zahlen
Manchmal ist es nicht nötig, genaue Zahlen zu wissen und man kann die Zahlen so runden, dass mit den gerundeten Zahlen leichter gerechnet werden kann.

abrunden
1, 2, 3 und 4 werden abgerundet

aufrunden
5, 6, 7, 8 und 9 werden aufgerundet

beim zweistelligen Dividenden:
31 ist in 94 so oft wie 30 in 90

Runde auf reine Zehner!
Achte dabei auf die Einerstelle, um zu entscheiden, ob du aufrunden oder abrunden musst:

321 ≈ ____	1 824 ≈ ____	61 ≈ ____
468 ≈ ____	286 ≈ ____	5 887 ≈ ____
917 ≈ ____	878 ≈ ____	8 432 ≈ ____
72 ≈ ____	1 077 ≈ ____	1 438 ≈ ____

Runde auf reine Hunderter!
Achte dabei auf die Zehnerstelle, um zu entscheiden, ob du aufrunden oder abrunden musst:

127 ≈ ____	355 ≈ ____	4 250 ≈ ____
1 886 ≈ ____	98 ≈ ____	368 ≈ ____
4 121 ≈ ____	2 178 ≈ ____	134 ≈ ____
62 ≈ ____	1 049 ≈ ____	7 777 ≈ ____

Bei den folgenden Zahlen musst du aufrunden:

9 ≈ ____	46 ≈ ____	89 ≈ ____
38 ≈ ____	495 ≈ ____	1 758 ≈ ____
287 ≈ ____	8 ≈ ____	686 ≈ ____
825 ≈ ____	79 ≈ ____	4 885 ≈ ____

Bei den folgenden Zahlen musst du abrunden:

11 ≈ ____	1 241 ≈ ____	104 ≈ ____
122 ≈ ____	14 ≈ ____	4 211 ≈ ____
31 ≈ ____	432 ≈ ____	144 ≈ ____
324 ≈ ____	1 133 ≈ ____	3 004 ≈ ____

Multiplikation mit zweistelligem Multiplikator

Alle grundsätzlichen Informationen zur schriftlichen Multiplikation findest du auf der Seite 8. Hier werden die Besonderheiten der Multiplikation mit einem zweistelligen Multiplikator besprochen. Dein Grundwissen über diese Rechnungsart hast du bei den Übungen der einstelligen Multiplikation erworben.

Auch das musst du wissen:

```
 456 Multiplikand · 32 Multiplikator
13680
  912
14592 Produkt
```

Merke dir besonders:

Zuerst rechnest du mit der Zehnerstelle des Multiplikators. Da es sich um eine Zehnerzahl handelt, musst du das Ergebnis verzehnfachen (mit einer Null).

```
 456 · 30
13680
```

Anschließend rechnest du mit der Einerstelle des Multiplikators weiter und schreibst die Einerzahl unter die Null.

```
 456 · 32
13680
  912
```

Nun musst du die beiden Zahlen addieren.

```
 456 · 32
13680
  912
14592
```

Dein Rechenspruch:

```
 456 · 32
13680
  912
14592
```

3 · 6 = 18 — 8 an, 1 weiter
3 · 5 = 15 + 1 = 16 — 6 an, 1 weiter
3 · 4 = 12 + 1 = 13
mal zehn ist 13680
2 · 6 = 12 — 2 an, 1 weiter
2 · 5 = 10 + 1 = 11 — 1 an, 1 weiter
2 · 4 = 8 + 1 = 9
Addition: 2 + 0 = 2, 1 + 8 = 9, 9 + 6 = 15 — 5 an, 1 weiter
1 + 3 = 4, 0 + 1 = 1

Übungsbeispiele Multiplikation mit zweistelligem Multiplikator:

315 · 14	635 · 23	525 · 42	175 · 24
257 · 29	41 · 58	59 · 72	286 · 31
567 · 45	971 · 25	354 · 33	841 · 49
204 · 23	1404 · 70	1537 · 42	191 · 79
555 · 55	123 · 45	678 · 91	700 · 66

Division mit zweistelligem Divisor

Alle grundsätzlichen Informationen zur schriftlichen Division findest du auf der Seite 10.
Hier werden die Besonderheiten der Division mit einem zweistelligen Divisor besprochen. Dein Grundwissen über diese Rechnungsart hast du bei den Übungen der einstelligen Division erworben.

Was ist das?

Dividend : Divisor = Quotient

Dividend durch (:) Divisor ist gleich (=) Quotient

Ein guter Tipp:

Runde den Divisor

Schätze dann ab, wie oft die Zehnerstelle des Divisors in der Zehnerstelle der Anfangsziffern des Dividenden enthalten ist.

Dein Rechenspruch:

84645 : 91 = 930

91 runde ich ab, daher 90
90 ist in 846 (so oft wie 9 in 84, also) 9 mal enthalten. 9 an (neben dem =)
Rest errechnen:
Achtung: nun musst du mit dem richtigen Divisor rechnen, nicht mit dem gerundeten!
9 x 1 = 9 und wie viel ist 16?
Und 7 ist 16, 7 an (wird unter die Zahl 6 geschrieben), 1 weiter
9 x 9 = 81 + 1 (von 1 weiter) = 82 und wie viel ist 84?
Und 2 ist 84 (2 wird unter 4 geschrieben)
Wichtig: der Rest muss kleiner sein als der Divisor! 27 < 91 – stimmt!
nächste Stelle 4 herab (wird neben den Rest geschrieben), jetzt steht dort 274
Weiter mit: 91 ist in 274 so oft wie 9 in 27, also ...

Auch das musst du wissen:

Durch das Runden ist die Ergebniszahl, die du hinschreibst, oft nur eine Schätzung, darum ist es ratsam, zuerst mit Bleistift zu rechnen.
Besonders wird dir das bei Zahlen auffallen, die an der Einerstelle 4, 5 oder 6 stehen haben.

Wie erkennst du, ob die richtige Ergebniszahl höher oder niedriger sein muss?
Wenn der Rest größer ist als der Divisor, dann passt dieser Divisor noch einmal (oder gar öfter) in diesen Rest, daher: vergrößere die Ergebniszahl und berechne den Rest neu.

Übungsbeispiele Division mit zweistelligem Divisor:

34 862 : 20 = ____ 58 448 : 40 = ____ 96 653 : 30 = ____

61 743 : 51 = ____ 94 761 : 61 = ____ 87 436 : 71 = ____

74 465 : 29 = ____ 22 964 : 19 = ____ 92 736 : 89 = ____

48 502 : 62 = ___ 67 380 : 72 = ___ 90 537 : 92 = ___

18 043 : 48 = ___ 25 690 : 38 = ___ 27 403 : 58 = ___

38 565 : 45 = ___ 19 285 : 95 = ___ 25 425 : 75 = ___

Umkehrproben der Grundrechnungsarten

Was ist das?

Zu jeder Grundrechnungsart gibt es eine „Umkehrrechnung".

Mit der Umkehrrechnung kannst du das Ergebnis deiner Rechnung überprüfen.

Was gehört zusammen?

+ und –
· und :

Die Strichrechnungen und die Punktrechnungen kontrollieren einander gegenseitig.

Wie wird überprüft?

Mit der Addition überprüfst du eine Subtraktion.

601	Kontrolle: 334
– 267	267
334	601

Mit der Subtraktion überprüfst du eine Addition.

231	Kontrolle: 487
256	– 256
487	231

Mit der Multiplikation überprüfst du eine Division.

11 772 : 27 = 436	Kontrolle: 436 · 27
97	872
162	3052
00 R	11772

Mit der Division überprüfst du eine Multiplikation.

256 · 28	Kontrolle: 7168 : 28 = 256
512	156
2048	168
7168	00 R

Zur Veranschaulichung:

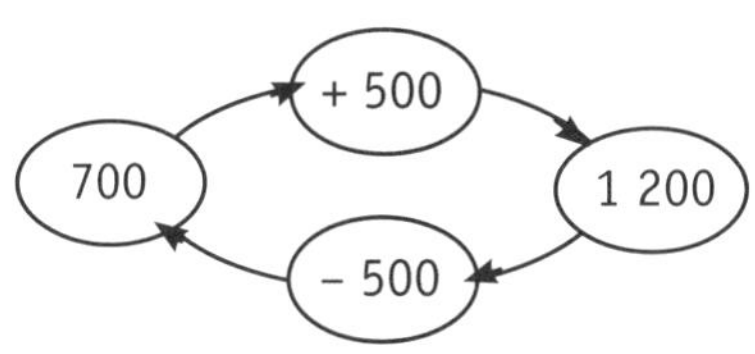

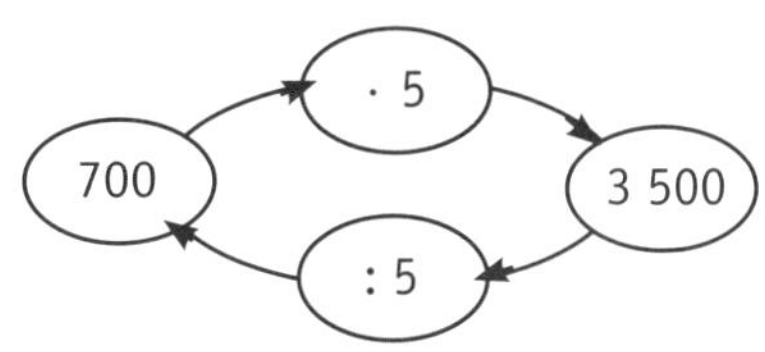

Auch so kannst du Rechnungen überprüfen:

Addition: Rechne die Posten erst von unten nach oben, danach zur Kontrolle von oben nach unten.

4 496	Rechne erst: 4 + 8 + 6 ⇧
3 928	
194	Zur Kontrolle rechne: 6 + 8 + 4 ⇩
8 618	

Multiplikation: Vertausche den Multiplikanden und den Multiplikator.

38 · 27	Kontrolle: 27 · 38
76	81
266	216
1 026	1 026

Rechne die folgenden Strichrechnungen aus und überprüfe mit der Umkehrprobe dein Ergebnis.
Vergiss nicht: Mit der Addition überprüfst du eine Subtraktion, mit der Subtraktion überprüfst du eine Addition!

748
369
______

Probe: 1 117
– 369
______

967
– 472
______

Probe: 495
472
______

4 527
3 838
______

Probe:

4 427
– 953
______

Probe:

51 937
37 425
______

Probe:

68 365
– 9 367
______

Probe:

Rechne die folgenden Punktrechnungen aus und überprüfe mit der Umkehrprobe dein Ergebnis. Schreib die Umkehrproben in dein Übungsheft!
Vergiss nicht: Mit der Multiplikation überprüfst du eine Division, mit der Division überprüfst du eine Multiplikation.

547 · 83
______

Probe:

43 792 : 56 = ______

Probe:

698 · 42
______

Probe:

22 382 : 38 = ______

Probe:

34 879 · 57
______

Probe:

99 999 : 53 = ______

Probe:

Quiz 2

Runden / Multiplikation zweistellig / Division zweistellig / Umkehrproben

In den letzten vier Kapiteln hast du viel Neues gelernt. Auf dieser Quizseite sollst du nun überprüfen, ob du dir alles gemerkt hast.
Setze in den folgenden Text die fehlenden Wörter sinngemäß richtig ein:

Zehnerzahl, Multiplikation, aufgerundet, abgerundet, kleiner, überprüfen, Division, Divisor

Beim zweistelligen Dividieren muss der ______________ gerundet werden. Die Zahlen von 1 – 4 werden ________________, die Zahlen 5 – 9 werden _________________. Die Umkehraufgabe der Division ist die ______________________. Die Umkehraufgabe der Multiplikation ist die ______________. Mit Hilfe der Umkehraufgabe kann man Rechnungen ___________________. Beim zweistelligen Multiplizieren beginnt man mit der _______________________ des Multiplikators zu rechnen. Beim Dividieren muss man stets darauf achten, dass der Rest _______________ ist als der Divisor.

Runde richtig auf oder ab (1. Spalte auf Zehner, 2. Spalte auf Hunderter, 3. Spalte auf Tausender):

486 ≈ ____	1 843 ≈ _____	42 536 ≈ ______
592 ≈ ____	2 525 ≈ _____	83 725 ≈ ______
838 ≈ ____	3 847 ≈ _____	188 542 ≈ ______
721 ≈ ____	7 580 ≈ _____	347 821 ≈ ______

Stelle fest, welche Umkehraufgaben zusammengehören:

18 704 : 56 =

334 · 56
18704

12 992 : 58 = 224

14 472 : 27 =

224 · 58 =

452 : 39 =

18 704 : 58 =

17 628 : 39 = 452

536 · 27
14472

452 · 39 =

14 472 · 536 =

Entscheide dich für die richtige Antwort:

1. Beim zweistelligen Multiplizieren muss man

a) erst multiplizieren, dann addieren
b) erst multiplizieren, dann subtrahieren

2. Welche Stelle entscheidet beim Runden auf reine Zehnerzahlen, ob auf- oder abgerundet wird?

a) Zehner b) Einer

3. Welche Stelle entscheidet beim Runden auf reine Hunderterzahlen, ob auf- oder abgerundet wird?

a) Einer b) Zehner

4. Welche Stelle entscheidet beim Runden auf reine Tausenderzahlen, ob auf- oder abgerundet wird?

a) Hunderter b) Tausender

5. Das Rundungszeichen (es bedeutet so viel wie „ist ungefähr") sieht so aus:

a) * b) ≈

6. Warum soll man beim zweistelligen Dividieren die Ergebniszahl erst mit Bleistift schreiben?

a) Sie muss erst überprüft werden.
b) Es sieht netter aus.

7. Wie heißt das Ergebnis der zweistelligen Division?

a) Produkt b) Quotient

8. Wie heißt das Ergebnis der zweistelligen Multiplikation?

a) Produkt b) Differenz

Hast du alles gewusst? Du kannst stolz auf dich sein. Wenn sich der eine oder andere Fehler eingeschlichen hat, lies in den Übungskapiteln nach und wiederhole den Test, sobald du glaubst, alles zu wissen.

Maßeinheiten und Maßbeziehungen

Was ist das?

Hier arbeiten wir mit genormten Maßeinheiten.

Eine Norm ist eine allgemein anerkannte, verbindliche Regel.

Längenmaße:	mm, cm, dm, m, km
Flächenmaße:	mm^2, cm^2, dm^2, m^2, a, ha, km^2
Gewichte:	g, dag, kg, t
Hohlmaße:	l, hl
Währung Euro:	c, €

Auch das musst du wissen: Zwischen den Maßeinheiten bestehen Maßbeziehungen.

Merke dir besonders:

Längenmaße:

1 mm (· 10) 1 cm (· 10) 1 dm (· 10) 1 m

Beachte:

1 m (· 1000) 1 km

Flächenmaße:

1 mm^2 (· 100) 1 cm^2 (· 100) 1 dm^2 (· 100) 1 m^2 (· 100) 1 a (· 100) 1 ha (· 100) 1 km^2

Gewichte: 1 g (· 10) 1 dag (· 100) 1 kg (· 1000) 1 t

Hohlmaße: 1 l (· 100) 1 hl

Währung: 1 c (· 100) 1 €

Fachausdrücke:

Mehrnamige Größen bestehen aus mehreren Maßeinheiten der gleichen Kategorie.

Beispiele: 1 m 25 cm 44 mm
1 km^2 3 ha
4 kg 30 dag
10 hl 45 l

Wende dein Wissen über die Maßbeziehungen hier an!
Verwandle in die größte mögliche oder in die kleinste notwendige Einheit.
Du darfst auch mehrnamige Angaben machen.

Längenmaße: Z. B. 5 000 m = 5 km; 450 cm = 4 m 5 dm; 4 500 cm = 45 m; 71 cm = 7 dm 1 cm

2 918 mm = 2 m 9 dm 1 cm 8 mm	333 dm =
1 000 mm =	3 dm 8 cm =
100 000 cm =	4 768 cm =
1 m 5 dm 3 cm =	10 270 mm =
1 m 5 cm =	100 mm =
1 000 dm =	2 378 m =
4 567 mm =	9 800 dm =

Flächenmaße: Z. B. 600 mm^2 = 6 cm^2; 700 cm^2 = 7 dm^2; 1 000 dm^2 = 10 m^2; 5 678 m^2 = 56 a 78 m^2

900 cm^2 =	1 900 m^2 =
7 600 a =	8 800 ha =
4 650 mm^2 =	62 340 dm^2 =
26 789 m^2 =	316 253 a =
1 km^2 45 ha =	65 m^2 67 dm^2 =
55 dm^2 89 cm^2 =	6m^2 7dm^2 8 cm^2 =
85 710 m^2 =	9 km^2 3 ha 87 a =

Gewichte: Z. B. 1 kg 5 dag = 105 dag; 1 200 g = 1 kg 20 dag; 2 dag 5 g = 25 g; 7 t 50 kg = 7 050 kg

6 780 g =	1 kg 7 g =
1 000 000 g =	5 t 19 kg =
5 790 g =	9 090 kg =
4 kg 4 dag 4 g =	55 dag 7 g =
1 000 dag =	8 010 dag =
1 t 566 kg =	56 kg 56 dag 5 g =

Hohlmaße: Z. B. 300 l = 3 hl; 345 l = 3 hl 45 l; 70 hl 77 l = 7 077 l; 10 hl = 1 000 l

10 000 l =	4 578 l =
5 hl 5 l =	9 999 l =
123 456 l =	78 hl 9 l =
13 hl 12 l =	1 204 l =

Währung: Z. B. 5 € = 500 c; 6 080 c = 60 € 80 c; 10 € 10 c = 1 010 c; 568 c = 5 € 68 c

8 004 c =	70 102 c =
78 € 87 c =	100 € 1 c =
1 000 000 c =	24 050 c =
980 € 22 c =	102 030 c =

Umfang

Was ist das?

Der Umfang ist die Summe aller Seitenlängen einer geometrischen Figur. Wir beschäftigen uns hier mit dem Umfang des Rechtecks und Quadrats.

Signalwörter in Textaufgaben:

Umspannen, einen Zaun aufstellen, eine Borte annähen, Sesselleisten legen, rundherum

Wenn du in der Angabe einer Textaufgabe eines der Signalwörter siehst, wirst du den Umfang berechnen müssen.

Auch das musst du wissen:

Die Umfangberechnung eines Rechtecks kann auf verschiedenen Wegen erfolgen.

1. Variante:	l + b + l + b = U(mfang)
2. Variante:	2 · l + 2 · b = U(mfang)
3. Variante:	(l + b) · 2 = U(mfang)

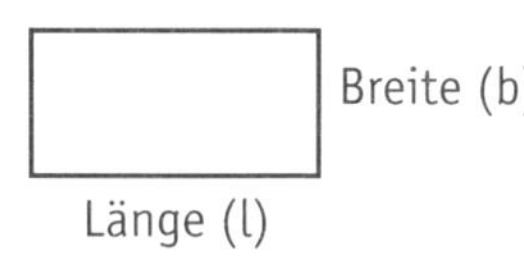

Die Umfangberechnung eines Quadrats erfolgt auf eine bestimmte Weise.
Die Seitenlänge der vier Seiten ist gleich.

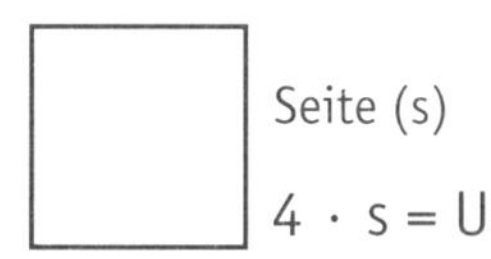

Merke dir besonders:

Die gegenüberliegenden Seiten eines Rechtecks sind gleich lang.
Ein Quadrat hat vier gleich lange Seiten.
Zeichne nach dem Text der Rechenaufgabe eine Skizze, das erleichtert dir die Vorstellung.

Berechne die fehlende Angabe! Bedenke die Berechnung des Umfanges!

Länge	Breite	Umfang	Berechnung
12 cm	8 cm	**40 cm**	12 cm (l) + 8 cm (b) = 20 cm; 20 cm · 2 = 40 cm
25 cm	**20 cm**	90 cm	25 cm (l) · 2 = 50 cm; 90 cm – 50 cm = 40 cm (2 · b); 40 cm : 2 = 20 cm
36 m	27 m		
	56 m	288 m	
75 m	45 m		
23 mm	15 mm		
46 mm		156 mm	
38 cm		126 cm	
	77 mm	426 mm	

Übungsbeispiele Umfang:
Diese Sachbeispiele sollst du in deinem Übungsheft ausrechnen, denke an eine Skizze!

1. Eine Heftseite hat eine Breite von 147 mm und eine Länge von 210 mm. Sie soll mit einem Klebeband eingefasst werden.
   Wie viel Klebeband braucht man für eine Heftseite?

2. Vergleiche die Umfänge! Das Rechteck ist 357 cm lang und 198 cm breit. Das Quadrat hat eine Seitenlänge von 279 cm.

3. Frau Knauferl knüpft zwei Teppiche. Der eine Teppich ist 278 cm lang und 159 cm breit. Der andere Teppich hat eine Seitenlänge von 246 cm. Frau Knauferl will beide Teppiche mit einer Borte einfassen.
   Um wie viel m und cm Borte muss sie für den einen Teppich mehr kaufen?

4. Die Längsseite eines Ackers misst 148 m, die Breitseite ist nur halb so lang. Die Breite einer Weide beträgt 46 m, die Längsseite ist dreimal so lang.
   Welcher Umfang ist länger, um wie viel?

5. Ein Parkplatz, der 110 m lang und 79 m breit ist, grenzt mit seiner Breitseite an ein Wohnhaus. Der Besitzer möchte den Parkplatz dreimal mit Draht umzäunen und eine 15 m breite Einfahrt aussparen.
   Wie viel Meter Draht benötigt er?

6. Die Mutter umhäkelt quadratische Taschentücher mit einem Umfang von 100 cm.
   Wie lang ist eine Seite eines Taschentuchs?

7. Im Wohnzimmer wird ein neuer Boden verlegt. Es hat eine Seitenlänge von 560 cm. An zwei Seiten gibt es eine Tür mit je 80 cm Breite.
   Wie viele m und cm Sesselleisten werden verbraucht?

8. Frau Zopf hat ein Grundstück mit 89 m Seitenlänge. Herr Knopf hat ein Grundstück mit einer Länge von 103 m und einer Breite von 76 m.
   Wer braucht den längeren Zaun? Um wie viel ist der Umfang größer?

9. Herr Knäbchen und Frau Bübchen kaufen benachbarte Grundstücke mit dem gleichen Umfang. Das Quadrat von Frau Bübchen hat eine Seitenlänge von 75 m. Das Rechteck von Herrn Knäbchen ist 109 m lang.
   Wie breit ist das Grundstück von Herrn Knäbchen?

10. Herr Schnauferl bastelt einen Bilderrahmen. Er hat eine 6 m lange Holzleiste zur Verfügung. Der Rahmen soll 127 cm breit sein.
    Wie viele cm ist die größte mögliche Längsseite des Rahmens lang?

Flächeninhalt

Was ist das?

Flächenmaße dienen zum Messen der Flächeninhalte.

1cm^2 ist der Flächeninhalt eines Quadrats mit der Seitenlänge von 1 cm.

Signalwörter in Textaufgaben:

Fußboden legen, Fliesen legen, Saatgut berechnen, Gartenfläche, Wohnungsgröße, Farbverbrauch, Tapetenverbrauch

Wenn du in der Angabe einer Textaufgabe eines der Signalwörter siehst, wirst du die Fläche berechnen müssen.

Auch das musst du wissen:

Flächenmaße: mm^2, cm^2, dm^2, m^2, a, ha, km^2
Den Flächeninhalt einer Fläche misst du, indem du feststellst, wie oft eine Flächeneinheit in dieser Fläche enthalten ist.

Rechteck:
Die Maßeinheit ist cm^2. In eine Reihe passen 5 cm^2, du brauchst 3 Reihen.
Rechne:

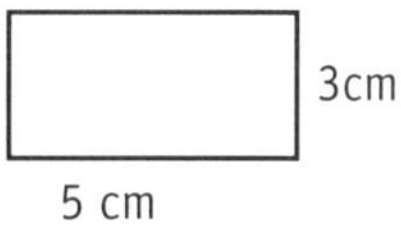

5 cm^2 · 3
15 cm^2
Flächeninhalt: 15 cm^2

Quadrat:
Die Maßeinheit ist mm^2. Eine Reihe enthält 35 mm^2, du hast 35 Reihen.
Rechne:

35 mm^2 · 35
1050
 175
1225 mm^2
Flächeninhalt: 1 225 mm^2

Merke dir besonders:

Umwandlungskette der Flächenmaße:

1 mm^2 (· 100) 1 cm^2 (· 100) 1 dm^2 (· 100) 1 m^2 (· 100) 1 a (· 100) 1 ha (· 100) 1 km^2

Wende dein Wissen über die Umwandlungskette der Flächenmaße hier an:

700 mm^2 = ____ cm^2	1 000 dm^2 = ____ m^2
500 cm^2 = ____ dm^2	1 300 m^2 = ____ a
2 500 a = ____ ha	3 400 ha = ____ km^2
5 670 mm^2 = ____ cm^2 ____ mm^2	12 340 dm^2 = ____ a ____ m^2 ____ dm^2
56 789 m^2 = ____ ha ____ a ____ m^2	716 253 a = ____ km^2 ____ ha ____ a
1 km^2 25 ha = ____ ha	35 m^2 67 dm^2 = ____ dm^2
45 dm^2 89 cm^2 = ____ cm^2	4 m^2 6 dm^2 8 cm^2 = ____ cm^2
86 730 m^2 = ____ ha ____ a ____ m^2	3 km^2 5 ha 17 a = ____ a

Diese Sachbeispiele sollst du in deinem Übungsheft ausrechnen, denke an eine Skizze!

1. Eine Heftseite hat eine Breite von 15 cm und eine Länge von 21 cm. Sie soll mit Buntpapier beklebt werden.
   Wie viele cm^2 Buntpapier braucht man für eine Heftseite?
2. Vergleiche die Flächeninhalte! Das Rechteck ist 37 cm lang und 18 cm breit. Das Quadrat hat eine Seitenlänge von 29 cm.
3. Frau Tschauner knüpft zwei Teppiche. Der eine Teppich ist 59 dm lang und 27 dm breit. Der andere Teppich hat eine Seitenlänge von 46 dm.
   Welcher Teppich deckt die größere Bodenfläche ab?
4. Die Längsseite eines Ackers misst 148 m, die Breitseite ist nur halb so lang. Die Breite einer Weide beträgt 46 m, die Längsseite ist dreimal so lang.
   Welche Fläche ist größer, um wie viel?
5. Ein Parkplatz ist 110 m lang und 79 m breit. Der Besitzer möchte den Parkplatz asphaltieren. Für einen m^2 verlangt die Baufirma 26 €.
   Wie viel kostet das Asphaltieren des Parkplatzes?
6. Ein Grundstück ist 67 m lang und 43 m breit. Das Haus soll eine Grundfläche von 150 m^2 haben.
   Wie groß ist die Fläche, die noch als Garten zur Verfügung steht?
7. Auf einem Grundstück, das 92 m lang und 79 m breit ist, soll ein Teich ausgehoben werden. Seine Fläche beträgt 2 a 25 m^2.
   Wie groß ist die restliche Fläche? (Wandle um!)
8. Im Wohnzimmer wird ein neuer Boden verlegt. Es hat eine Seitenlänge von 56 dm. Die Bodenfliesen haben eine Fläche von 4 dm^2.
   Wie viele Fliesen werden benötigt?
9. Frau Schlosser hat ein Grundstück mit 89 m Seitenlänge. Herr Schneider hat ein Grundstück mit einer Länge von 103 m und einer Breite von 76 m.
   Wessen Grundstück hat die größere Fläche? Um wie viel ist es größer?
10. Die 4 Wände des Wohnzimmers sollen neu gestrichen werden. Die Seitenlänge des Wohnzimmers beträgt 48 dm. Die Höhe des Wohnzimmers ist 25 dm. Für Fenster- und Türflächen können 920 dm^2 abgerechnet werden.
    Wie groß ist die zu streichende Fläche?

Geometrische Formen

Was ist das?

Gerade, Winkel, Strecken, Flächen und Körper sind Begriffe aus der Geometrie.

Kugel, Quader, Würfel, Pyramide, Kegel, Zylinder und Prisma sind geometrische Körper.

Erkennungsmerkmale:

Erkennungsmerkmale: Ein Körper besteht aus Flächen, Kanten, Winkeln und Ecken.

Auch das musst du wissen:

Gerade:
Parallele Gerade haben immer den gleichen Abstand zueinander.

Gerade stehen aufeinander, wenn sie einen rechten Winkel bilden.

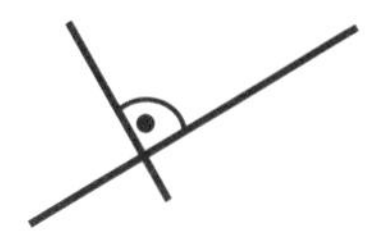

Winkel:
Ein Winkel, der größer ist als ein rechter Winkel, heißt stumpfer Winkel.
Ein Winkel, der kleiner ist als ein rechter Winkel, heißt spitzer Winkel.

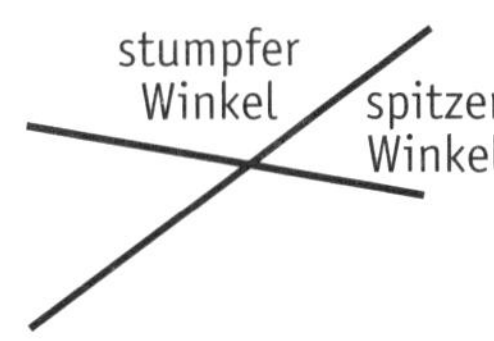

Das ist interessant:

	Würfel	Quader	Zylinder	Kugel	Pyramide	Kegel
Flächen	6	6	3	1	5	2
Kanten	12	12	2	0	8	1
Ecken	8	8	0	0	5	1

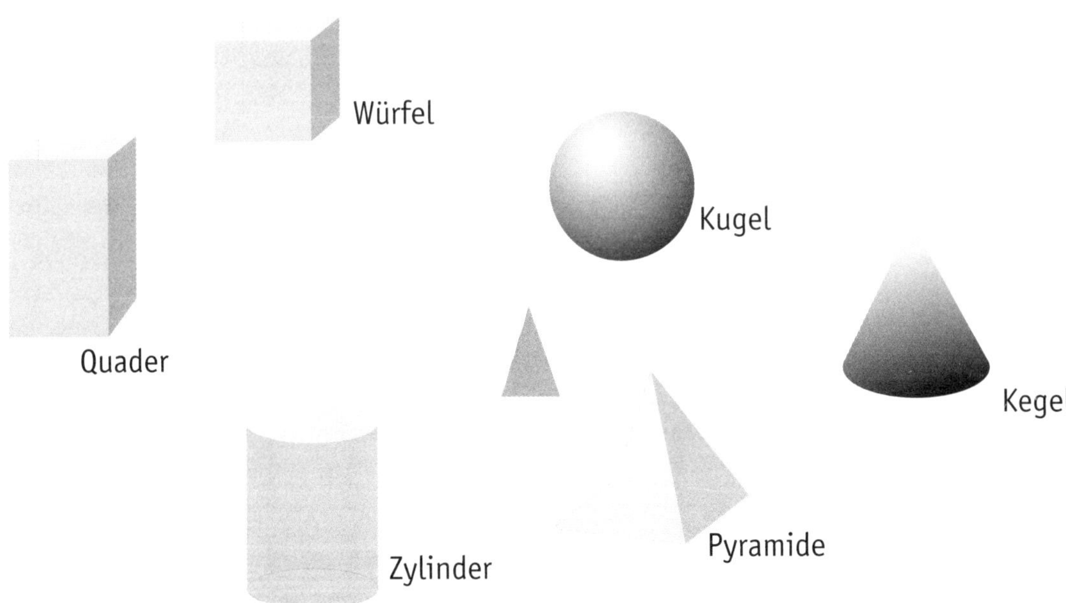

Beschreibe nun die einzelnen Formen genau:

	Flächen	**Kanten**	**Ecken**
Würfel	6 quadratische Flächen	12 Kanten	8 Ecken
Quader			
Zylinder			
Kugel			
Pyramide			
Kegel			

Überlege, ob du den Körper rollen oder kippen kannst. Ein Körper kippt über eine Kante. Kreuze in der richtigen Spalte an. Ist auch beides möglich?

	rollen	**kippen**		**rollen**	**kippen**
Würfel			Kugel		
Quader			Pyramide		
Zylinder			Kegel		

Zeichne zu diesen Geraden parallele Gerade im Abstand von 1 cm, 14 mm und 5 mm.
Verwende dein Geodreieck!

Zeichne Gerade, die auf diese Geraden normal stehen, das heißt, mit ihnen einen rechten Winkel bilden. Verwende dein Geodreieck!

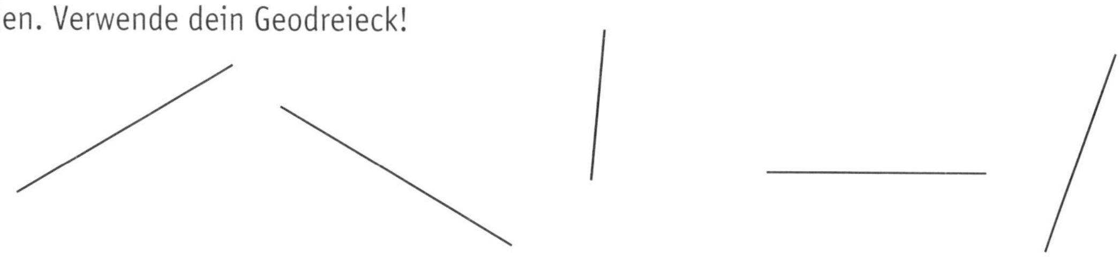

Stell dir vor, du benützt die Flächen der Körper als Stempel.
Zu welchem Körper passt dieser Abdruck?
Es gibt mehrere Möglichkeiten!

 ____________________  ____________________

 ____________________ ____________________

Welchen Abdruck hinterlässt eine Kugel? ____________________

Quiz 3

Umwandlungen / Umfang / Fläche / Geometrische Formen

In den letzten Kapiteln hast du alles Notwendige zu Maßbeziehungen, zur Umfangberechnung, zur Flächenberechnung und zu den geometrischen Körpern gelernt. Auf dieser Quizseite sollst du nun überprüfen, ob du dir alles gemerkt hast.
Setze in den folgenden Text die fehlenden Zahlen und Wörter sinngemäß richtig ein:

4, Flächeneinheit, 10, Seitenlänge, Körper, 100, Summe, 1000

Der Umfang ist die ______________ aller Seitenlängen. Den Flächeninhalt misst du, indem du feststellst, wie oft eine ________________ in dieser Fläche enthalten ist. Pyramide, Kegel und Würfel sind geometrische _______________. Die Umwandlungszahl bei den Längenmaßen ist _______. Außer beim Kilometer, da ist sie ______. Die Umwandlungszahl der Flächenmaße ist _______. Beim Quadrat berechnest du den Umfang, indem du die ___________________ mit _____ multiplizierst.

Verbinde die folgenden Begriffe:

Kugel		a
mm^2		Rechteck
Quadrat	**Fläche**	Würfel
km^2		Länge
Seitenlänge		ha
Quader	**Umfang**	Kreis
Dreieck		Kegel
m		Breite
dm	**Körper**	cm
cm^2		m^2
Pyramide		Zylinder
km		mm

Entscheide dich für die richtige Antwort:

1. Bei welcher Maßeinheit lautet die Umwandlungskette (· 10) (· 100) (· 1000) ?

a) Gewichte b) Längenmaße

2. Bei welchen zwei Maßeinheiten lautet die Umwandlungszahl gleich, nämlich (· 100) ?

a) Längenmaße und Flächenmaße
b) Hohlmaße und Währung

3. Wie heißt dieser geometrische Körper?

a) Kegel
b) Zylinder

4. Wie heißt die Maßeinheit für Flüssigkeiten?

a) Kilogramm b) Liter

5. Die kleinste Einheit der Gewichte ist

a) Tonne b) Gramm

6. Die Summe aller Seitenlängen einer geometrischen Figur ist

a) der Umfang b) die Fläche

7. Wie heißt dieser geometrische Körper?

a) Quadrat b) Quader

8. Wie heißt das größte Flächenmaß?

a) Quadratkilometer b) Hektar

9. Wie nennt man Größen, bei denen mehrere Maßeinheiten genannt werden?

a) mehrnamige Größen
b) mehrstellige Größen

Hast du alles gewusst? Du kannst stolz auf dich sein. Wenn sich der eine oder andere Fehler eingeschlichen hat, lies in den Übungskapiteln nach und wiederhole den Test, sobald du glaubst, alles zu wissen.

Sachrechnungen

Schlüsse aufschreiben

Was ist das? Schlüsse aufschreiben – eine Lösungshilfe für einige Textrechnungen

Von der Einheit auf eine Mehrheit:

1m Vorhangstoff kostet 12 €, wie viel kosten 15 m?

1 m. . . . . 12 €
15 m. . . . . ? €
15 m. . . . . 180 €

Es wird multipliziert! ·
12 € · 15

Von der Mehrheit auf eine Einheit:

Familie Wamperl kauft 15 Becher Joghurt um 8 € 55 c. Wie teuer ist ein Becher?

15 B . . . . 8 € 55c
1 B . . . . ? €
1 B . . . . 57 c

Es wird dividiert! :
855 c : 15

Von einer Mehrheit auf eine andere Mehrheit:

Familie Quimmel kauft 4 Sessel um 184 €, Familie Habermann 3 Stück der gleichen Art. Wie viel müssen die Habermanns bezahlen?

4 S . . . . 184 €
1 S . . . . ? €
1 S . . . . 46 €
3 S . . . . ? €
3 S . . . . 138 €

Achtung: Auch wenn nicht ausdrücklich nach dem Einzelpreis gefragt wird, musst du ihn zuerst berechnen!

So arbeitest du im Heft:

Angabe: Frau Peterson kauft je eine Hose für ihre 5 Söhne und bezahlt dafür 115 €. Am nächsten Tag holt sie noch je eine Hose für ihre 3 Neffen.

Frage: Wie viel muss sie bezahlen?

Rechnung:

5 H. . . . . . . 115 €
1 H. . . . . ? €
1 H. . . . . 23 €
3 H. . . . . ? €
3 H. . . . . 69 €

115 € : 5 = 23 €
015
00 R

23 € · 3
69 €

Antwort: Die 3 Hosen für die Neffen kosten 69 €.

Übungsbeispiele Schlüsse:

Löse die folgenden Textaufgaben in deinem Heft. Schreib zu jeder Aufgabe einen Schlussansatz auf!
Achtung: Manchmal musst du die Frage selbst formulieren!

Zusatzübungen für besonders Fleißige:
Schreib die Aufgaben ab und gliedere die Beispiele in **A**ngabe, **F**rage, **R**echnung und **A**ntwort!

1. Im Eissalon Luca wurden vorige Woche 17 kg Bananen verbraucht. Wie viel musste Herr Luca dafür bezahlen, wenn 1 kg Bananen 89 c kostete?

2. Die Eintrittskarte ins Schwimmbad kostet für ein Kind 76 c. Wie viel muss die Erzieherin für 26 Kinder bezahlen?

3. Familie Prinz bezahlt pro Tag im Urlaubsappartement 134 €. Sie reist nach 9 Tagen ab.

4. Laras Tenniskurs hat für 14 Stunden 168 € gekostet. Wie teuer war eine einzelne Stunde?

5. Eine Kiste Eiswaffeln mit 25 Schachteln kostet 18 €. (1 € = 100 c)

6. Die 5-köpfige Familie Samperl bezahlt für die Menüs im Gasthaus 28 € 25 c.

7. Niko isst ein Eis mit 4 Kugeln und bezahlt dafür 1 € 80 c. Wie viel muss Lea für ein Eis mit 3 Kugeln bezahlen?

8. Die 27 Kinder der Kindergruppe Bärchen bekommen Schlecker um 6 € 21 c. In der Gruppe Mäuschen sind aber nur 23 Kinder.

9. Der Fußballclub FC Schieß-ein-Tor bezahlt für die Reinigung von 35 Trikots 166 € 25 c. Beim FC Hau-daneben sind 42 Trikots zur Reinigung gebracht worden.

10. In der Tischlerei bekommt Alfi eine 171 cm lange Holzleiste geschenkt. Für seinen Baukasten braucht er 7 cm lange Stäbe.

11. Auf 100 km verbraucht Mutters Auto 7 l Dieseltreibstoff. Der Tank des Fahrzeuges fasst 56 l. Im letzten Jahr fuhr sie 20 800 km.

Brüche

Was ist das?

Wenn ein Ganzes in gleichmäßig große Teile geteilt wird, spricht man von Brüchen.

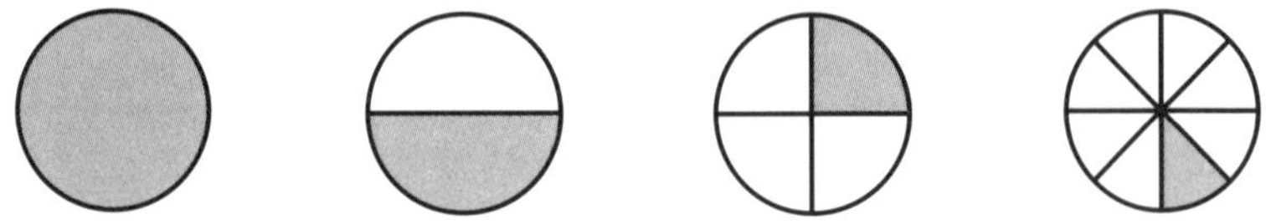

1 Ganzes = 1 1 Halbes = $\frac{1}{2}$ 1 Viertel = $\frac{1}{4}$ 1 Achtel = $\frac{1}{8}$

Auch das musst du wissen:

So wird eine Bruchzahl dargestellt:

$\frac{1}{2}$ — 1 ← Zähler, Strich ← Bruchstrich, 2 ← Nenner

Du sprichst so: 1 Halbes = $\frac{1}{2}$ 1 Viertel = $\frac{1}{4}$ 1 Achtel = $\frac{1}{8}$

Genauer erklärt:

Der Zähler zählt die Teile:

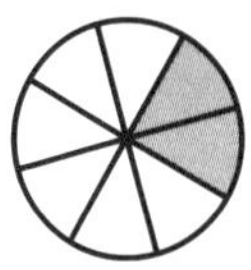

$\frac{1}{8} + \frac{1}{8} = \frac{2}{8}$

1 Achtel + 1 Achtel = 2 Achtel

Der Nenner gibt an, wie viele gleiche Teile ein Ganzes ergeben.

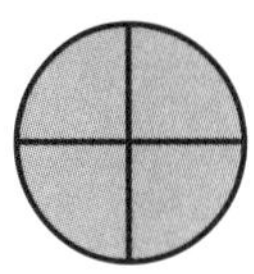

4 Teile, daher Viertel

$\frac{4}{4} = 1$

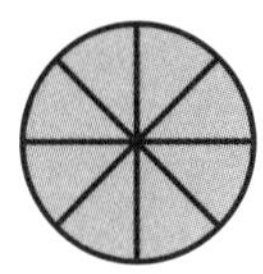

8 Teile, daher Achtel

$\frac{8}{8} = 1$

Brüche im täglichen Leben:

ein halbes Brot, ein viertel Liter Milch, ein achtel Liter Wein, eine dreiviertel Stunde, zweieinhalb Wochen, eine Achtelnote, eineinhalb Meter

---

Mit Bruchzahlen rechnen:

Gleichnamige Brüche kannst du leicht addieren oder subtrahieren: $\frac{1}{4} + \frac{2}{4} = \frac{3}{4}$

Nun rechne selbst:

$\frac{2}{8} + \frac{4}{8} = \frac{\ }{\ }$	$\frac{1}{4} + \frac{1}{4} = \frac{\ }{\ }$	$\frac{2}{4} + \frac{1}{4} = \frac{\ }{\ }$	$\frac{3}{5} + \frac{1}{5} = \frac{\ }{\ }$	$\frac{3}{6} + \frac{1}{6} = \frac{\ }{\ }$	$\frac{2}{8} + \frac{2}{8} = \frac{\ }{\ }$
$\frac{5}{8} - \frac{3}{8} = \frac{\ }{\ }$	$\frac{3}{6} - \frac{2}{6} = \frac{\ }{\ }$	$\frac{7}{8} - \frac{5}{8} = \frac{\ }{\ }$	$\frac{2}{4} - \frac{1}{4} = \frac{\ }{\ }$	$\frac{3}{4} - \frac{1}{4} = \frac{\ }{\ }$	$\frac{4}{5} - \frac{3}{5} = \frac{\ }{\ }$
$\frac{8}{8} - \frac{3}{8} = \frac{\ }{\ }$	$\frac{4}{8} + \frac{1}{8} = \frac{\ }{\ }$	$\frac{7}{4} - \frac{5}{4} = \frac{\ }{\ }$	$\frac{2}{9} + \frac{5}{9} = \frac{\ }{\ }$	$\frac{3}{8} + \frac{1}{8} = \frac{\ }{\ }$	$\frac{1}{6} + \frac{5}{6} = \frac{\ }{\ }$

Brüche benennen:

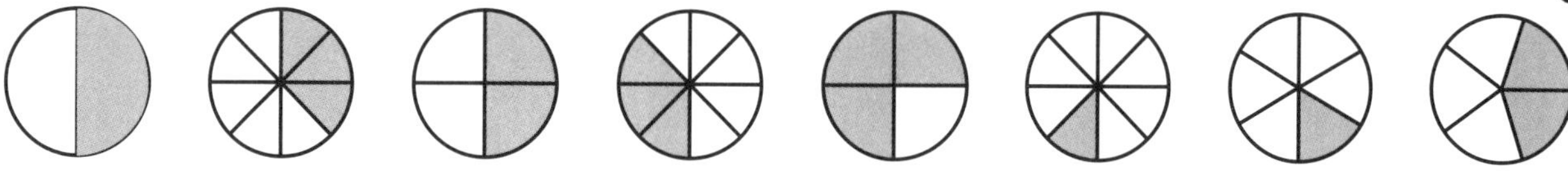

Bemale:

$\frac{2}{8}$ $\frac{1}{4}$ $\frac{5}{8}$ $\frac{3}{4}$ $\frac{1}{2}$ $\frac{3}{6}$ $\frac{2}{4}$ $\frac{4}{8}$

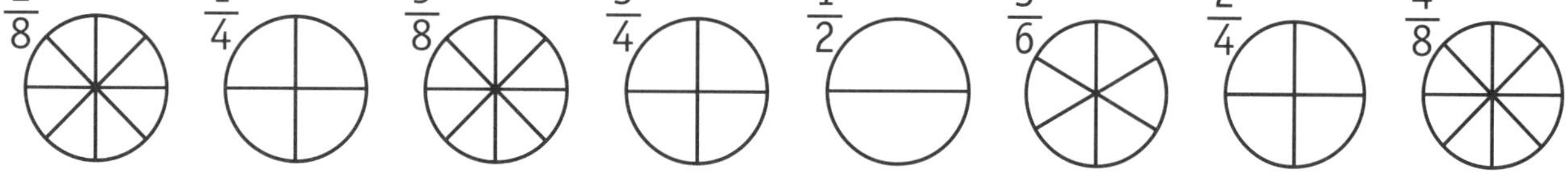

Hast du bemerkt, dass verschiedene Brüche denselben Wert ergeben können?

Überprüfe und setze =, < oder > ein:

$\frac{1}{4}$ $\frac{2}{8}$	$\frac{2}{8}$ $\frac{1}{2}$	$\frac{3}{4}$ $\frac{3}{8}$	$\frac{3}{6}$ $\frac{1}{2}$	$\frac{1}{2}$ $\frac{5}{8}$	$\frac{1}{8}$ $\frac{1}{4}$
$\frac{3}{8}$ $\frac{1}{4}$	$\frac{5}{6}$ $\frac{1}{2}$	$\frac{6}{8}$ $\frac{3}{4}$	$\frac{2}{5}$ $\frac{7}{8}$	$\frac{2}{16}$ $\frac{1}{8}$	$\frac{8}{16}$ $\frac{1}{2}$

Die folgenden Brüche sind größer als ein Ganzes. Woran kann man das erkennen?
Schreibe so: $\frac{7}{4} = 1\frac{3}{4}$

$\frac{5}{4}$ = ____	$\frac{7}{5}$ = ____	$\frac{3}{2}$ = ____	$\frac{6}{4}$ = ____
$\frac{9}{6}$ = ____	$\frac{10}{8}$ = ____	$\frac{14}{4}$ = ____	$\frac{16}{7}$ = ____
$\frac{7}{2}$ = ____	$\frac{23}{8}$ = ____	$\frac{6}{3}$ = ____	$\frac{17}{5}$ = ____

Wandle um:

eine halbe Stunde = ____ Minuten	$\frac{1}{4}$ m = ____ cm	$\frac{3}{4}$ kg = ____ dag
ein halber Meter = ____ Zentimeter	$\frac{3}{4}$ h = ____ min	$\frac{1}{4}$ h = ____ min
ein viertel Kilogramm = ____ Dekagramm	$\frac{1}{2}$ kg = ____ g	$\frac{1}{2}$ kg = ____ dag
ein achtel Kilogramm = ____ Gramm	$\frac{3}{4}$ m = ____ cm	$\frac{3}{8}$ kg = ____ g

Die Zeit

Über die Zeit:

Die Zeit wird in verschiedene Einheiten eingeteilt. Hier sind die wichtigsten Einheiten von der Kleinsten zur Größten geordnet:

Sekunde
Minute
Stunde
Tag
Woche
Monat
Jahr

Auch das musst du wissen:

Zwischen den Zeiteinheiten bestehen Beziehungen.

60 Sekunden = 1 Minute	60 Minuten = 1 Stunde
24 Stunden = 1 Tag	7 Tage = 1 Woche
28 Tage = 4 Wochen	12 Monate = 1 Jahr
365 Tage = 1 Jahr	52 Wochen = 1 Jahr

Abkürzungen:

sec = Sekunde; min = Minute; h = Stunde; d = Tag

Anregung:

Bitte jemanden, mit einer Uhr eine Minute zu stoppen, versuche du gleichzeitig, die Minute ohne Uhr (nur mit deiner inneren Uhr) zu stoppen. Gar nicht so einfach!

Der Sekundenzeiger braucht eine Minute lang, um wieder an die gleiche Stelle der Uhr zu kommen. Er macht dabei 60 kleine Bewegungen, denn: 60 Sekunden = 1 Minute.

Sobald der Sekundenzeiger einmal die Runde gegangen ist, rückt auch der Minutenzeiger um einen Platz weiter. Der Minutenzeiger braucht 60 Schritte, um einmal die Runde zu machen, denn: 60 Minuten = 1 Stunde.

Verbinde die Anzeigen der digitalen Uhren und jener Uhren mit Zeigern, die die gleiche Zeit anzeigen:

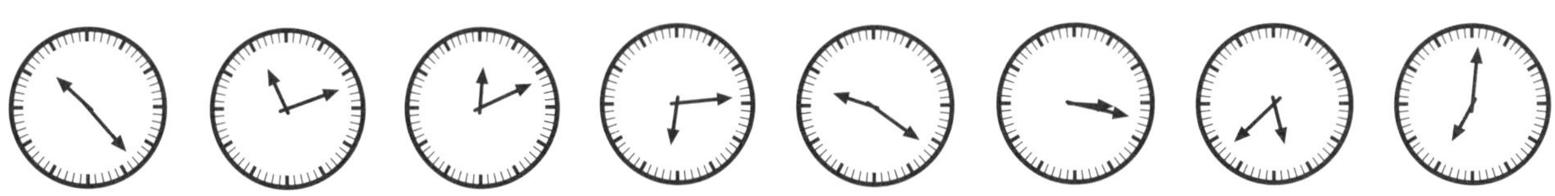

18.14 12.11 10.23 11.12 3.17 7.01 5.38 9.21

Rechne nun mit den Zeitmaßen:

1 min = 60 sec	2 min = ______	8 min = ______
100 min = ______	4 min = ______	25 min = ______
1 h = 60 min	2 h = ______	8 h = ______
24 h = ______	48 h = ______	12 h = ______
1 d = 24 h	2 d = ______	8 d = ______
66 d = ______	365 d = ______	150 d = ______
115 min = 1 h 55 min	223 min = ______	536 min = ______
248 sec = 4 min 8 sec	189 sec = ______	527 sec = ______
36 h = 1 d 12 h	72 h = ______	119 h = ______

1 h 20 min 5 sec = ______ sec 2 h 5 min 38 sec = ______ sec

Textaufgaben:

1. Lukas hat für seine Hausübung 1 Stunde und 13 Minuten gebraucht. Hannes war nach 72 Minuten damit fertig. Wer hat flotter gearbeitet?
2. Der Film im Kino 1 dauert 84 Minuten, der Film im Saal 2 1 Stunde und 34 Minuten. Welcher Film dauert länger?
3. Hans geht um 7.20 Uhr von daheim weg. Sein Schulweg dauert 28 min. Wie viele Minuten vor 8 Uhr kommt er in der Schule an?
4. Renates Bus fährt um 13.40 Uhr ab. Die Fahrzeit beträgt 1 Stunde und 10 Minuten. Wann kommt Renate an?

Auf manchen Uhren ist nachts 10 Uhr zu lesen, gemeint ist aber 22 Uhr. Kannst du die folgenden Zeiten in Tag- bzw. Nachtzeiten umschreiben?

14 Uhr =	7 Uhr =	3 Uhr =	20 Uhr =
21 Uhr =	11 Uhr=	19 Uhr =	18 Uhr =
16 Uhr =	2 Uhr =	5 Uhr =	4 Uhr =
24 Uhr =	9 Uhr =	17 Uhr =	6 Uhr =

Ungleichungen

Was ist eine Gleichung?	30 000 + 7 000 = 37 000	Sobald auf beiden Seiten des „Ist-gleich“-Zeichens der gleiche Wert steht, spricht man von einer Gleichung.
Größer als:	30 000 + 8 000 > 37 000	Ungleiche Werte werden durch „Ungleichzeichen“ beschrieben, z. B. „Größer-als“.
Kleiner als:	30 000 + 2 000 < 37 000	Ungleiche Werte werden durch „Ungleichzeichen“ beschrieben, z. B. „Kleiner-als“.
Auch das musst du wissen:	Bei Ungleichungen kann es viele verschiedene Lösungen geben.	30 000 + 2 000 < 37 000 30 000 + 2 000 < 38 000 30 000 + 2 000 < 39 000, u.s.w.
Hilfen zum Merken der Zeichen:	< als Teil von k wie kleiner viel  wenig	Stelle dir die Ungleichzeichen als Tüte vor – an welcher Stelle passt mehr hinein? Dort steht auch der größere Wert. 1 000 > 100

Zusammenfassung:

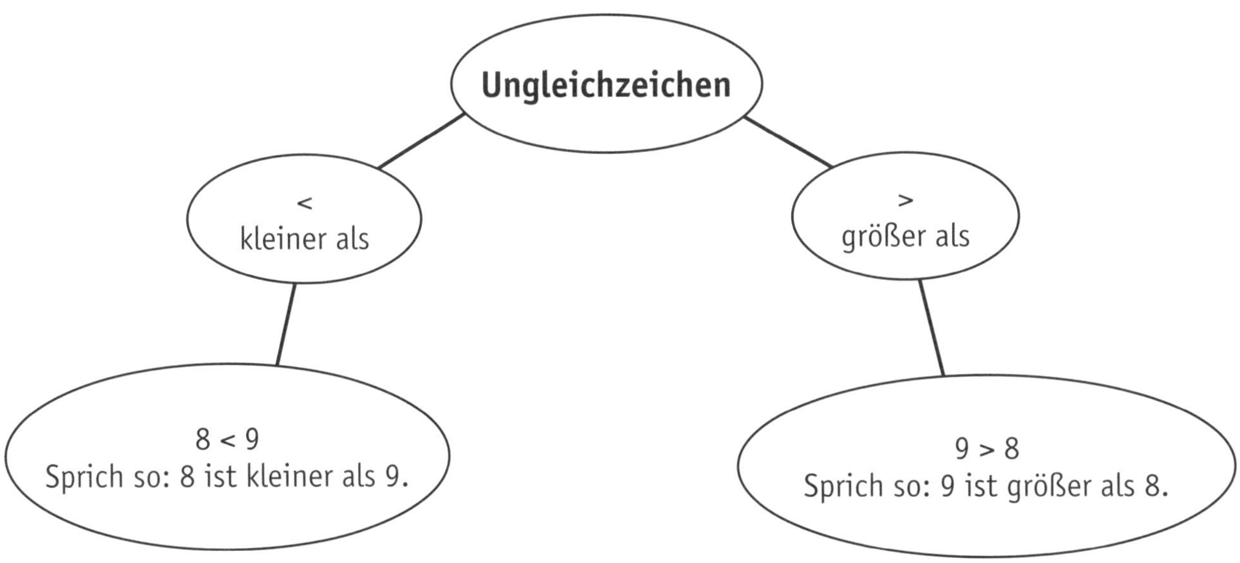

Übungsbeispiele Ungleichungen:
Vergleiche die angegebenen Zahlen und setze =, > oder < ein.

48	57	62	47	98	89
171	117	99	99	897	799
451	541	6 742	7 624	2 085	2 085
1 943	1 934	78 493	78 493	8 574	8 754
128 678	127 876	800 123	800 123	634 521	896 351
199 849	911 021	442 632	424 514	324 242	76 234

Nun musst du auf einer Seite rechnen, um die Werte vergleichen zu können:
Setze =, > oder < ein.

14 + 37	51	45 · 17	765	254 – 47	210
138 + 56	236	32 · 9	285	8 643 – 568	8 121
7 451 + 82	7 533	1 496 : 22	70	954 – 658	296
67 + 48 + 27	139	4 806 : 54	89	3 004 – 304	2 700

Nun musst du auf beiden Seiten rechnen und die Ergebnisse danach vergleichen.
Setze =, > oder < ein.

364 + 48	348 + 64	3 575 – 845	3 997 – 1 627
257 + 96	275 + 69	7 254 – 895	8 340 – 2 090
847 + 62	867 + 43	57 · 38	58 · 37
954 + 17	1 253 – 285	918 : 27	936 : 26

Vergleiche auch die folgenden Werte:
Setze =, > oder < ein:

$\frac{1}{2}$	1	$\frac{3}{2}$	1	$\frac{4}{3}$	1	$\frac{7}{8}$	1	$\frac{6}{6}$	1
$\frac{5}{5}$	1	$\frac{3}{4}$	1	$\frac{2}{2}$	1	$\frac{4}{4}$	1	$\frac{2}{3}$	1
$1\frac{1}{2}$	$\frac{6}{4}$	$1\frac{2}{3}$	$\frac{4}{3}$	$\frac{3}{16}$	$\frac{5}{16}$	$2\frac{1}{4}$	$\frac{18}{8}$	$\frac{7}{9}$	$\frac{14}{18}$

Quiz 4

Schlussrechnungen / Ungleichungen / Zeit / Brüche

In den letzten Kapiteln hast du viel Interessantes gelernt. Auf dieser Quizseite sollst du nun überprüfen, ob du dir alles gemerkt hast.
Setze in den folgenden Text die fehlenden Wörter sinngemäß richtig ein:

genau, Bruchstrich, größer, Nenner, Nenner, Zähler, Zähler

Brüche bestehen aus ____________, ____________ und einem __________________. Wenn der Zähler größer ist als der Nenner, dann ist der Wert des Bruches __________ als ein Ganzes. Wenn Zähler und Nenner gleich groß sind, dann ist der Wert __________ ein Ganzes. Beim Addieren von gleichnamigen Brüchen addiert man die __________, die __________ bleiben unverändert.

Verbinde die folgenden Begriffe:

das Sechzigstel einer Stunde		604 800 Sekunden
	Minute	
60 Sekunden		das Dreißigstel des Monats April
	Stunde	
60 Minuten		ein Zwölftel des Jahres
24 Stunden		720 Stunden
	Tag	
3 600 Sekunden		10 080 Minuten
das Vierundzwanzigstel eines Tages	**Woche**	4 Wochen
365 Tage		168 Stunden
	Monat	
52 Wochen		7 Tage
1 440 Minuten		30 Tage
	Jahr	
86 400 Sekunden		12 Monate

Entscheide dich für die richtige Antwort:

1. Wie heißt dieses Zeichen: > ?

a) größer als b) kleiner als c) ist gleich

2. Wie heißt dieses Zeichen: = ?

a) größer als b) kleiner als c) ist gleich

3. Wie heißt dieses Zeichen: < ?

a) größer als b) kleiner als c) ist gleich

4. Wie nennt man eine solche Rechnung: $3+4=7$

a) Gleichung b) Ungleichung c) Plusierung

5. Wie nennt man eine solche Rechnung: $3>2$

a) Gleichung b) Ungleichung c) Falschung

6. Bei Ungleichungen kann es ...

a) oft viele Lösungen geben
b) immer nur eine Lösung geben
c) nie eine richtige Lösung geben

Bei welcher der folgenden Rechnungen handelt es sich um keine Schlussrechnung?

1. Ein m Vorhangstoff kostet 24 €. Frau Salzwimmer kauft 16 m. Wie viel muss sie bezahlen?
2. Herr Weber beginnt um 8.15 Uhr zu arbeiten. Um 17.30 Uhr macht er Schluss. Wie lange hat er gearbeitet?
3. Herr Anton baut 4 Flugzeugmodelle und braucht dafür 5 Stunden und 24 Minuten. Wie lange wird er an 3 weiteren Modellen bauen?

Hast du alles gewusst? Du kannst stolz auf dich sein. Wenn sich der eine oder andere Fehler eingeschlichen hat, lies in den Übungskapiteln nach und wiederhole den Test, sobald du glaubst, alles zu wissen.

Sachrechnungen – Mittelwerte

Über verschiedene Sachrechnungen:

Rechenaufgaben, die in einem Text formuliert sind, beschäftigen sich mit Inhalten des täglichen Lebens. Manche lassen sich durch das Anschreiben eines Schlusses leichter lösen (siehe Schlussrechnungen).
Um den Überblick zu bekommen, könntest du eine Zeichnung anfertigen.
Manchmal gibt es Textteile, die mit der tatsächlich gefragten Rechnung nichts zu tun haben. Reduziere die Texte auf das Wesentliche.
Verwende zum Lesen von Tabellen ein Lineal oder Abdeckblatt.

Beispiel für eine Mittelwertrechnung:

Mampfi aß am Samstag 6 Eislutscher, am Sonntag 8 Stück und am Montag 4. Wie viele Eislutscher aß er im Durchschnitt an einem Tag?

6+8+4=18 ⇨ 18:3=6

Er aß durchschnittlich 6 Eislutscher am Tag.

Signalwörter in Textaufgaben: Mittelwert, Durchschnitt, durchschnittlich

---

Auch das musst du wissen: Um den Mittelwert zu berechnen, musst du die Summanden addieren (6+8+4=18) und die Summe durch die Anzahl der Summanden dividieren (3).

Eine Tabelle – viele Möglichkeiten für Übungen – berechne mit Hilfe dieser Tabelle:
Arbeite in deinem Heft!

3 Schulen in Muggel	1. Schulstufe	2. Schulstufe	3. Schulstufe	4. Schulstufe
Rentu	13 Knaben	17 Knaben	12 Knaben	16 Knaben
	16 Mädchen	12 Mädchen	14 Mädchen	12 Mächen
Rebo	18 Knaben	15 Knaben	11 Knaben	12 Knaben
	11 Mädchen	15 Mädchen	15 Mädchen	16 Mädchen
Lettim	20 Knaben	10 Knaben	13 Knaben	18 Knaben
	9 Mädchen	18 Mädchen	13 Mädchen	10 Mädchen

1. Wie viele Kinder besuchen die Schule Rentu?
2. Wie viele Kinder besuchen die Schule Lettim?
3. Wie viele Mädchen besuchen die Schule Lettim?
4. Wie viele Mädchen besuchen die Schule Rebo?
5. Wie viele Knaben besuchen die Schule Rentu?
6. Wie viele Knaben besuchen die Schule Rebo?
7. In welche Klasse gehen die meisten Kinder?
8. Wie viele Kinder besuchen die 1. Schulstufe in Muggel?
9. Wie viele Schülerinnen und Schüler besuchen im Durchschnitt eine Klasse in Muggel?

Das sind AFRA Rechnungen!

A: Angabe	Lies die **A**ngabe sorgfältig durch.
F: Frage	Unterstreiche die **F**rage bunt.
R: Rechnung	Schreibe dann die **R**echnungen.
A: Antwort	Überlege und schreibe die **A**ntwort.

Arbeite in deinem Heft und achte dabei auf das genaue Schreiben der Ziffern und eine übersichtliche Anordnung!

1. Fritz hat 96 Divisionen geübt. Franz hat um ein Viertel weniger gerechnet. Heinz hat um ein Drittel weniger geübt. Aber Sepperl war besonders fleißig und hat um ein Achtel mehr gerechnet.
   Wie viele Rechnungen haben die einzelnen Kinder ausgeführt?

2. Kater Schnurrelaut braucht zum Fangen einer Maus durchschnittlich 9 Minuten. Im August war er 1 620 Minuten auf Mäusefang.
   Wie viele Mäuse fing er im August?

3. In 38 Schulwochen hatten die Kinder jeweils an 5 Tagen Aufgaben zu machen. Karli Blitzgneißer brauchte in diesem Schuljahr 14 250 Minuten für die Aufgabe. Rudi Schlafmütze brauchte doppelt so viel Zeit.
   Wie viele Stunden und Minuten brauchte jeder täglich im Durchschnitt?

4. In einer regnerischen Urlaubswoche besuchten die Eltern Glotzer mit ihren zwei Kindern 6 Vorstellungen im Kino Flimmerbild. Alle verspeisten dabei jedes Mal eine Riesentüte Popcorn. Für dieses Vergnügen bezahlten sie insgesamt 144 €.
   Wie viel gaben sie dafür durchschnittlich pro Person und pro Kinobesuch aus?

5. In der Käserei „Glückliche Kuh" werden wöchentlich 4 395 Ecken Käse der Sorte „Uiderstinkt" hergestellt. Die Käserei arbeitet nicht an Samstagen und Sonntagen.
   Wie viele Schachteln mit je 3 Käseecken werden durchschnittlich an einem Tag erzeugt?

6. Ein Versicherungskaufmann ist dienstlich mit seinem Auto an 25 Tagen im Monat unterwegs. Zu Beginn zeigte der Kilometerzähler 36 543 km. Am Monatsende zeigte er 41 118 km.
   Wie viele km ist er durchschnittlich an einem Tag gefahren?
   Wie viele € und c bekommt er an einem Tag, wenn er für einen Kilometer 34 c erhält?
   Wie viel Kilometergeld ergibt das für diesen Monat?

7. Vermehre das Produkt von 56 und 89 um den Quotienten aus 10 005 und 29!

8. Elsa hat über ein tolles Erlebnis eine Geschichte mit 140 Wörtern geschrieben. Karla hat um ein Viertel weniger Wörter verwendet. Lotte hat um ein Fünftel mehr geschrieben als Elsa.
   Wie viele Wörter haben die einzelnen Kinder geübt?

9. Ein Kaufmann erhält 4 Pakete zugesandt. In jedem Paket sind 12 Schachteln und in jeder Schachtel sind 6 Hemden. Ein Hemd kostet 49 €.
   Wie teuer ist die ganze Sendung?

Gehirnakrobatik

Was ist das?	Aufgaben, bei denen du gut nachdenken musst.
Auch das musst du wissen:	Bei einigen dieser Aufgaben solltest du dir eine Skizze anfertigen, das veranschaulicht die Lösung.
Merke dir besonders:	Tägliches Training stärkt deine Muskeln. Gehirnakrobatik macht dich fit im Denken.

Übungsbeispiele:

1. Aus einem Eierkarton mit 6 Reihen zu je 6 Stück wird rundherum eine Reihe herausgenommen. Wie viele Eier bleiben noch im Karton?

2. Marco hat Geburtstag. Er sitzt mit seinen 5 Freunden an einem runden Tisch. Marco sitzt zwischen Oliver und Enzo. Gegenüber von Marco sitzt Niki. Links von Niki sitzt Theo. Gegenüber von Theo sitzt Oliver. Wo sitzt Gustav? (Mach eine Skizze!)

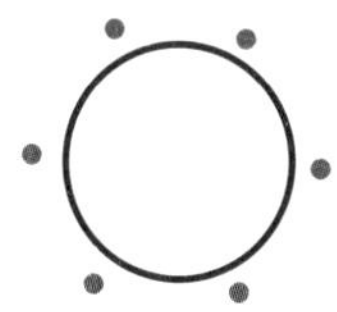

3. In der Stadt ist ein großer Platz. Jede Seite ist 60 m lang. Rundherum stehen Bäume im Abstand von je 6 m. Wie viele Bäume sind es?

4. Mutter und Tochter stellen sich zusammen auf die Waage. Diese zeigt genau 80 kg. Die Mutter wiegt um 16 kg mehr als ihre Tochter. Wie viel wiegt die Mutter?

5. Gloria denkt sich eine Zahl, multipliziert sie mit 3, addiert dann 4 und erhält 79.

6. Sascha ist 12 Jahre alt. Sandra ist jetzt 7 Jahre alt. Wie groß ist der Altersunterschied zwischen den Kindern? Wie groß ist er in fünf Jahren?

7. Ludwigs Eltern sind zusammen 76 Jahre alt. Seine Mutter ist um zwei Jahre jünger als sein Vater. Wie alt sind Mutter und Vater?

8. Alfred ist halb so alt wie sein Bruder Gregor, zusammen sind die beiden 21 Jahre alt. Wie alt sind die Kinder?

9. Die Feriengruppe Schlaufüchse möchte ein Spiel in Gruppen durchführen. Wenn sie sich in Vierergruppen aufteilt, bleiben 3 Kinder übrig. Wenn sie Sechsergruppen bildet, bleiben 5 Kinder übrig. Es sind mehr als 20 und weniger als 30 Kinder. Wie viele Kinder sind es?

10. Eine kleine und eine große Fläche sind zusammen $100\ m^2$ groß. Die große Fläche ist viermal so groß wie die kleine Fläche. Wie groß sind die Flächen?

Die verflixte 13

Das Ergebnis ist immer 13, wenn du in dieser Reihenfolge rechnest:
Multipliziere irgendeine Zahl mit 6!
Das Ergebnis multipliziere mit 3!
Berechne von diesem Ergebnis die Ziffernsumme (von 13 ist die Ziffernsumme: 1+3=4)
Hat diese mehr als 2 Ziffern, dann berechne noch einmal die Ziffernsumme!
Subtrahiere davon 5!
Multipliziere dieses Ergebnis mit 3!
Nun addiere noch 1!
Was erhältst du? Überprüfe mit verschiedenen Zahlen, auch mit mehrstelligen!

Zahlenspielerei

1	2	3	4	5	6	7	8	9

Wähle aus diesen Ziffern fünf verschiedene aus: 2 5 7 9 1.
Bilde damit die größte und die kleinste Zahl: 97 521 / 12 379.
Berechne die Differenz: 97 521 – 12 379 = 85 142. Spiele mit diesen Ziffern weiter.

Trainiere das Einmaleins – häufiges Üben macht dich sicher!

Zeichne ein Quadrat mit der Seitenlänge von 10 cm. Trage einen Raster von 1 cm in das Quadrat ein. Trage nun in das oberste linke Quadrat das Operationszeichen für die Multiplikation ein. Schreibe die Zahlen von 2 bis 10 in beliebiger Reihenfolge in die oberste Zeile und in die ganz linke Spalte. Nun übst du das Einmaleins, indem du die Ziffern miteinander multiplizierst. Es sind 81 Rechnungen – aber durch die möglichen Umkehrungen musst du nur halb so viele wirklich beherrschen! Nimm dir eine Stoppuhr und notiere dir, wie lange du brauchst, um alle Malsätzchen richtig zu rechnen. Wenn du nur wenig Zeit hast, kopiere den Raster auf Seite 48. Ordne die Zahlen immer anders an, übe so lange, bis du eine Zeit unter 3 Minuten erreichst!

•	4	6	8	
3		↓		
5	→	6 • 5 = 30		

Trainingsvorschlag für Divisionen mit zweistelligem Divisor

Nimm einen Spielwürfel! Nimm ein kariertes Blatt oder zeichne dir einen Raster! Schreibe die gewürfelten Zahlen hinein.
Die erste Zahl in das Hunderttausender-Feld, die zweite in das Zehntausender-Feld usw. ... Du kannst auch vorher in ein Feld des Dividenden eine Null eintragen, das macht die Rechnung schwieriger.

HT	ZT	T	H	Z	E	:	Z	E	=

Zur Kontrolle solltest du unbedingt die Probe rechnen.

Vielleicht darfst du die Rechnungen anschließend mit dem Taschenrechner kontrollieren.
Achtung, wenn Rest bleibt, berechnet der Taschenrechner Zahlen mit Kommastellen! Lass dir von einem Erwachsenen helfen!

Kopiervorlage,

mit der du das Einmaleins üben kannst!

•									

Susanna Jarausch · Ilse Stangl

Kontrollheft

Voll fit in Mathematik

So schaffst du den Sprung ins Gymnasium!

G&D

Liebe Eltern!

So können Sie Ihr Kind beim Üben unterstützen:

- Teilen Sie die Zeit ein und bedenken Sie:
  Arbeits- und Erholungsphasen sollen einander abwechseln!
- Die tägliche Lernzeit sollte 50 Minuten nicht überschreiten!
  Ideal wäre das Portionieren dieser Lernzeit in eine Grundarbeitszeit von etwa 30 Minuten und zwei Wiederholungseinheiten von etwa je 10 Minuten.
- Erstellen Sie gemeinsam einen Zeitplan und formulieren Sie konkrete Ziele.
- Stellen Sie begleitendes, „motivierendes" Material zur Verfügung: ein neues Übungsheft, einen ansprechenden Block oder eine hübsche Mappe und farbige Stifte. Für die Deutschteile braucht Ihr Kind ein Lineal und ein Wörterbuch aus der Volksschule oder das Österreichische Wörterbuch, für den Mathematikteil ein Geodreieck.
- Wenn Ihr Kind konzentriert arbeitet, bringt die Arbeit den gewünschten Erfolg.
- Wenn Ihr Kind zum ersten Mal mit diesem Buch arbeitet, empfiehlt es sich, die Seiten der Reihe nach zu bearbeiten.
- Bestärken Sie Ihr Kind darin, die Übungen im Buch mit Bleistift in einer netten Schrift zu schreiben, das Korrigieren wird dadurch erleichtert.
- Das Vergleichen der Ergebnisse mit dem Kontrollheft sollten Sie gemeinsam mit Ihrem Kind durchführen. In der Tafel des Tigers steht die Seite im Hauptband, die hier gelöst wird. Beim Vergleichen radieren Sie bitte Falsches aus und wiederholen Sie mit Ihrem Kind gemeinsam die Aufgabe. Nur Richtiges soll im Buch stehen!
- Wenn Ihr Kind in einem Kapitel auffallend viele Fehler gemacht hat, gehen Sie dieses Kapitel noch einmal gemeinsam durch.
- Sorgen Sie für eine entspannte und ruhige Atmosphäre bei der Arbeit.
- Loben Sie Ihr Kind für Erfolge, aber auch für den Fleiß!

Viel Freude bei der Arbeit mit Ihrem Kind wünschen Ihnen

Susanna Jarausch und Ilse Stangl

Übungsbeispiele Addition:

254	129	163	175	314	412
315	630	525	423	105	287
569	759	688	598	419	699

267	341	519	667	937	654
378	298	47	89	106	456
645	639	566	756	1 043	1 110

478	117	163	139	183	197
259	231	127	156	168	264
145	169	189	133	147	155
882	517	479	428	498	616

39	108	139	167	139	197
21	66	158	198	167	189
18	82	87	189	188	276
25	106	98	63	67	97
103	362	482	617	561	759

21 365	59 070	36 524	70 830	45 769	24 618
31 982	48 701	18 963	12 089	61 985	99 999
53 347	107 771	55 487	82 919	107 754	124 617

34 567	91 234	56 782	89 123	23 456	71 023
345	89	981	56	678	1 234
9 823	56	20 340	304	4 501	29
44 735	91 379	78 103	89 483	28 635	72 286

Übungsbeispiele Subtraktion:

438	736	1 563	942
− 215	− 524	− 451	− 630
223	212	1 112	312
778	716	1 295	1 769
− 435	− 103	− 439	− 804
343	613	856	965
729	838	1 419	856
− 456	− 161	− 348	− 696
273	677	1 071	160

994	585	607	1 300
− 128	− 269	− 229	− 778
866	316	378	522
2 845	367	3 234	877
− 1 267	− 159	− 1 286	− 799
1 578	208	1 948	78
3 004	1 026	2 905	6 001
− 1 785	− 937	− 1 098	− 2 785
1 219	89	1 807	3 216

---

21 365	59 070	36 524	70 830
− 9 875	− 18 799	− 2 918	− 9 947
11 490	40 271	33 606	60 883
45 769	24 618	23 456	71 023
− 8 914	− 1 289	− 19 012	− 62 135
36 855	23 329	4 444	8 888
34 567	91 234	56 782	89 123
− 24 568	− 84 568	− 49 005	− 86 901
9 999	6 666	7 777	2 222

Übungsbeispiele Multiplikation:

315 · 4	635 · 3	525 · 2	175 · 4
1 260	1 905	1 050	700
267 · 9	341 · 8	519 · 7	287 · 3
2 403	2 728	3 633	861
667 · 6	937 · 5	654 · 3	89 · 9
4 002	4 685	1 962	801

---

108 · 9	404 · 7	370 · 2	198 · 6
972	2 828	740	1 188
4 012 · 7	1 234 · 3	2 076 · 7	2 700 · 5
28 084	3 702	14 532	13 500
5 708 · 3	7 065 · 9	2 890 · 7	9 763 · 4
17 124	63 585	20 230	39 052

---

1 322 · 9	2 340 · 2	3 056 · 8	4 507 · 3
11 898	4 680	24 448	13 521
10 786 · 5	12 304 · 6	7 004 · 4	8 594 · 7
53 930	73 824	28 016	60 158
2 020 · 5	5 808 · 8	2 469 · 5	7 613 · 6
10 100	46 464	12 345	45 678

Übungsbeispiele Division:

4 862 : 2 = 2 431
0 8
06
02
0 R

8 448 : 4 = 2 112
0 4
04
08
0 R

9 663 : 3 = 3 221
0 6
06
03
0 R

6 743 : 5 = 1 348
1 7
24
43
3 R

9 461 : 6 = 1 576
3 4
46
41
5 R

8 736 : 7 = 1 248
1 7
33
56
0 R

---

14 635 : 2 = 7 317
0 6
03
15
1 R

22 964 : 9 = 2 551
4 9
46
14
5 R

22 847 : 8 = 2 855
6 8
44
47
7 R

48 403 : 6 = 8 067
0 4
40
43
1 R

68 270 : 7 = 9 752
5 2
37
20
6 R

90 747 : 9 = 10 083
00
0 7
74
27
0 R

---

18 053 : 4 = 4 513
2 0
05
13
1 R

77 690 : 8 = 9 711
5 6
09
10
2 R

28 403 : 5 = 5 680
3 4
40
03
3 R

39 504 : 4 = 9 876
3 5
30
24
0 R

19 008 : 9 = 2 112
1 0
10
18
0 R

25 452 : 7 = 3 636
4 4
25
42
0 R

So waren die Wörter richtig einzusetzen:

Die **Addition** ist eine Rechenart, bei der Summanden zusammengezählt werden. Die Umkehraufgabe dieser Rechenart ist die **Subtraktion**. Beides sind **Strichrechnungen**. Die einzige schriftliche Rechenart, bei der die Zahlen ohne Unterstreichung angeschrieben werden, ist die **Division**. Sie ist eine Punktrechnung und ihre Umkehraufgabe heißt **Multiplikation**. Bei Plus-, Minus- und Mal-Aufgaben ist es wichtig, alle Zahlen **stellenwertgenau** untereinander aufzuschreiben.

So waren die Begriffe zuzuordnen:

Addition:	plusrechnen, Summe, Strichrechnung, Summanden
Subtraktion:	minusrechnen, Minuend, Subtrahend, Strichrechnung, Differenz
Multiplikation:	malnehmen, Multiplikand, Multiplikator, Produkt, Punktrechnung
Division:	Quotient, Divisor, Dividend, Punktrechnung, messen, teilen

---

Auflösung des Tests:

1. a) Bei der **Subtraktion** muss immer die größere Zahl oben stehen.
2. b) Bei der **Addition** können beliebig viele Zahlen untereinander angeschreiben werden.
3. b) Der Doppelpunkt als Operationszeichen gehört zur **Division**.
4. a) Die Umkehraufgabe der Division heißt **Multiplikation**.
5. b) Der Quotient ist das Ergebnis der **Division**.
6. b) Die Summe ist der Ergebnis der **Addition**.
7. a) Die Differenz ist das Ergebnis der **Subtraktion**.
8. a) Das Ergebnis der Multiplikation heißt **Produkt**.

Runde auf reine Zehner!
Achte dabei auf die Einerstelle, um zu entscheiden, ob du aufrunden oder abrunden musst:

321 ≈ 320	1 824 ≈ 1 820	61 ≈ 60
468 ≈ 470	286 ≈ 290	5 887 ≈ 5 890
917 ≈ 920	878 ≈ 880	8 432 ≈ 8 430
72 ≈ 70	1 077 ≈ 1 080	1 438 ≈ 1 440

Runde auf reine Hunderter!
Achte dabei auf die Zehnerstelle, um zu entscheiden, ob du aufrunden oder abrunden musst:

127 ≈ 100	355 ≈ 400	4 250 ≈ 4 300
1 886 ≈ 1 900	98 ≈ 100	368 ≈ 400
4 121 ≈ 4 100	2 178 ≈ 2 200	134 ≈ 100
62 ≈ 100	1 049 ≈ 1 000	7 777 ≈ 7 800

Bei den folgenden Zahlen musst du aufrunden:

9 ≈ 10	46 ≈ 50	89 ≈ 90
38 ≈ 40	495 ≈ 500	1 758 ≈ 2 000 (1 760, 1 800)
287 ≈ 290 (300)	8 ≈ 10	686 ≈ 1 000 (690, 700)
825 ≈ 830	79 ≈ 80 (100)	4 885 ≈ 5 000 (4 890, 4 900)

Bei den folgenden Zahlen musst du abrunden:

11 ≈ 10	1 241 ≈ 1 200 (1 240, 1 000)	104 ≈ 100
122 ≈ 120 (100)	14 ≈ 10	4 211 ≈ 4 000 (4 200, 4 210)
31 ≈ 30	432 ≈ 400 (430)	144 ≈ 140 (100)
324 ≈ 320 (300)	1 133 ≈ 1 000 (1 100, 1 130)	3 004 ≈ 3 000

Übungsbeispiele Multiplikation mit zweistelligem Multiplikator:

315 · 14	635 · 23	525 · 42	175 · 24
3150	12700	21000	3500
1260	1905	1050	700
4410	14605	22050	4200

257 · 29	41 · 58	59 · 72	286 · 31
5140	2050	4130	8580
2313	328	118	286
7453	2378	4248	8866

567 · 45	971 · 25	354 · 33	841 · 49
22680	19420	10620	33640
2835	4855	1062	7569
25515	24275	11682	41209

204 · 23	1404 · 70	1537 · 42	191 · 79
4080	98280	61480	13370
612		3074	1719
4692		64554	15089

555 · 55	123 · 45	678 · 91	700 · 66
27750	4920	61020	42000
2775	615	678	4200
30525	5535	61698	46200

Übungsbeispiele Division mit zweistelligem Divisor:

34 862 : 20 = 1 743
14 8
0 86
062
02 R

58 448 : 40 = 1 461
18 4
2 44
048
08 R

96 653 : 30 = 3 221
06 6
0 65
053
23 R

61 743 : 51 = 1 210
10 7
0 54
033
33 R

94 761 : 61 = 1 553
33 7
3 26
21 1
28 R

87 436 : 71 = 1 231
16 4
2 23
106
35 R

---

74 465 : 29 = 2 567
16 4
1 96
225
22 R

22 964 : 19 = 1 208
03 9
0 16
164
12 R

92 736 : 89 = 1 041
03 7
3 73
176
87 R

48 502 : 62 = 782
5 10
142
18 R

67 380 : 72 = 935
2 58
420
60 R

90 537 : 92 = 984
7 73
377
09 R

---

18 043 : 48 = 375
3 64
283
43 R

25 690 : 38 = 676
2 89
230
02 R

27 403 : 58 = 472
4 20
143
27 R

38 565 : 45 = 857
2 56
315
00 R

19 285 : 95 = 203
0 28
285
00 R

25 425 : 75 = 339
2 92
675
00 R

Rechne die folgenden Strichrechnungen aus und überprüfe mit der Umkehrprobe dein Ergebnis.
Vergiss nicht: Mit der Addition überprüfst du eine Subtraktion, mit der Subtraktion überprüfst du eine Addition!

Rechnung	Probe	Rechnung	Probe
748 + 369 = 1 117	1 117 − 369 = 748	967 − 472 = 495	495 + 472 = 967
4 527 + 3 838 = 8 365	8 365 − 3 838 = 4 527	4 427 − 953 = 3 474	3 474 + 953 = 4 427
51 937 + 37 425 = 89 362	89 362 − 37 425 = 51 937	68 365 − 9 367 = 58 998	58 998 + 9 367 = 68 365

Rechne die folgenden Punktrechnungen aus und überprüfe mit der Umkehrprobe dein Ergebnis. Schreib die Umkehrproben in dein Übungsheft!
Vergiss nicht: Mit der Multiplikation überprüfst du eine Division, mit der Division überprüfst du eine Multiplikation.

```
547 · 83        45 401 : 83 = 547
 4376             3 90
  1641              581
 45401                0 R
```

```
43 792 : 56 = 782      782 · 56
  4 59                 3910
    112                 4692
     00 R              43792
```

```
698 · 42        29 316 : 42 = 698
 2792             4 11
  1396              336
 29316                0 R
```

```
22 382 : 38 = 589      589 · 38
  3 38                 1767
    342                 4712
     00 R              22382
```

```
34879 · 57
174395          1 988 103 : 57 = 34 879
  244153          278
1988103             50 1
                      4 50
                        513
                          0 R
```

```
99 999 : 53 = 1 886      1886 · 53
46 9                     94300
  4 59                    5658
    359                  99958
     41 R                   41
                         99999
```

So waren die Wörter richtig einzusetzen:

Beim zweistelligen Dividieren muss der **Divisor** gerundet werden. Die Zahlen von 1 – 4 werden **abgerundet**, die Zahlen 5 – 9 werden **aufgerundet**. Die Umkehraufgabe der Division ist die **Multiplikation**. Die Umkehraufgabe der Multiplikation ist die **Division**. Mit Hilfe der Umkehraufgabe kann man Rechnungen **überprüfen**. Beim zweistelligen Multiplizieren beginnt man mit der **Zehnerzahl** des Multiplikators zu rechnen. Beim Dividieren muss man stets darauf achten, dass der Rest **kleiner** ist als der Divisor.

Runde richtig auf oder ab:

486 ≈	490	1 843 ≈	1 800	42 536 ≈	43 000
592 ≈	590	2 525 ≈	2 500	83 725 ≈	84 000
838 ≈	840	3 847 ≈	3 800	188 542 ≈	189 000
721 ≈	720	7 580 ≈	7 600	347 821 ≈	348 000

Stelle fest, welche Umkehraufgaben zusammengehören:

18 704 : 56 = → 334 · 56 = 18704

224 · 58 = → 12 992 : 58 = 224

452 · 39 = → 17 628 : 39 = 452

14 472 : 27 = → 536 · 27 = 14472

Auflösung des Tests:

1. a) Beim zweistelligen Multiplizieren muss man **erst multiplizieren, dann addieren**.
2. b) Die **Einerstelle (Einer)** entscheidet beim Runden auf reine Zehnerzahlen, ob auf- oder abgerundet wird.
3. b) Die **Zehnerstelle (Zehner)** entscheidet beim Runden auf reine Hunderterzahlen, ob auf- oder abgerundet wird.
4. a) Die **Hunderterstelle (Hunderter)** entscheidet beim Runden auf reine Tausenderzahlen, ob auf- oder abgerundet wird.
5. b) Das Rundungszeichen (es bedeutet so viel wie „ist ungefähr") sieht so aus: ≈
6. a) Beim zweistelligen Dividieren schreibt man die Ergebniszahl erst mit Bleistift, weil **sie erst überprüft werden muss**.
7. b) Das Ergebnis der zweistelligen Division heißt **Quotient**.
8. a) Das Ergebnis der zweistelligen Multiplikation heißt **Produkt**.

Wende dein Wissen über die Maßbeziehungen hier an!
Verwandle in die größte mögliche oder in die kleinste notwendige Einheit.
Du darfst auch mehrnamige Angaben machen.

Längenmaße:

2 918 mm = 2 m 9 dm 1 cm 8 mm	333 dm = **33 m 3 dm**
1 000 mm = **1 m**	3 dm 8 cm = **38 cm**
100 000 cm = **1 km**	4 768 cm = **47 m 6 dm 8 cm**
1 m 5 dm 3 cm = **153 cm**	10 270 mm = **10 m 2 dm 7 cm**
1 m 5 cm = **105 cm**	100 mm = **1 dm**
1 000 dm = **100 m**	2 378 m = **2 km 378 m**
4 567 mm = **4 m 5 dm 6 cm 7 mm**	9 800 dm = **980 m**

Flächenmaße:

900 cm^2 = **9 m^2**	1 900 m^2 = **19 a**
7 600 a = **76 ha**	8 800 ha = **88 km^2**
4 650 mm^2 = **46 cm^2 50 mm^2**	62 340 dm^2 = **6 a 23 m^2 40 dm^2**
26 789 m^2 = **2 ha 67 a 89 m^2**	316 253 a = **31 km^2 62 ha 53 a**
1 km^2 45 ha = **145 ha**	65 m^2 67 dm^2 = **6 567 dm^2**
55 dm^2 89 cm^2 = **5 589 cm^2**	6m^2 7dm^2 8 cm^2 = **60 708 cm^2**
85 710 m^2 = **8 ha 57 a 10 m^2**	9 km^2 3 ha 87 a = **90 387 a**

Gewichte:

6 780 g = **6 kg 78 dag**	1 kg 7 g = **1 007 g**
1 000 000 g = **1 t**	5 t 19 kg = **5 019 kg**
5 790 g = **5 kg 79 dag**	9 090 kg = **9 t 90 kg**
4 kg 4 dag 4 g = **4 044 g**	55 dag 7 g = **557 g**
1 000 dag = **10 kg**	8 010 dag = **80 kg 10 dag**
1 t 566 kg = **1 566 kg**	56 kg 56 dag 5 g = **56 565 g**

Hohlmaße:

10 000 l = **100 hl**	4 578 l = **45 hl 78 l**
5 hl 5 l = **505 l**	9 999 l = **99 hl 99 l**
123 456 l = **1 234 hl 56 l**	78 hl 9 l = **7 809 l**
13 hl 12 l = **1 312 l**	1 204 l = **12 hl 4 l**

Währung:

8 004 c = **80 € 4 c**	70 102 c = **701 € 2 c**
78 € 87 c = **7 887 c**	100 € 1 c = **10 001 c**
1 000 000 c = **10 000 €**	24 050 c = **240 € 50 c**
980 € 22 c = **98 022 c**	102 030 c = **1 020 € 30 c**

Berechne die fehlende Angabe! Bedenke die Berechnung des Umfanges!

Länge	**Breite**	**Umfang**	**Berechnung**
12 cm	8 cm	**40 cm**	12 cm (l) + 8 cm (b) = 20 cm; 20 cm · 2 = 40 cm
25 cm	**20 cm**	90 cm	25 cm (l) · 2 = 50 cm; 90 cm – 50 cm = 40 cm (2 · b); 40 cm : 2 = 20 cm
36 m	27 m	**126 m**	(l + b) · 2 = U
88 m	56 m	288 m	b · 2 = 2 b; U – 2 b = 2 l; 2 l : 2 = l 56 m (b) · 2 = 112 m; 288 m – 112 m = 176 m (2 l) 176 m : 2 = 88 m (l)
75 m	45 m	**240 m**	(l + b) · 2 = U
23 mm	15 mm	**76 m**	(l + b) · 2 = U
46 mm	**32 mm**	156 mm	l · 2 = 2 l; U – 2 l = 2 b; 2 b : 2 = b
38 cm	**25 cm**	126 cm	l · 2 = 2 l; U – 2 l = 2 b; 2 b : 2 = b
136 cm	77 mm	426 mm	b · 2 = 2 b; U – 2 b = 2 l; 2 l : 2 = l

Übungsbeispiele Umfang:
Bei Beispiel 1. siehst du, wie die Arbeit in deinem Heft aussehen sollte:

Angabe: 1.
Frage: Wie viel Klebeband braucht man für eine Heftseite?
Rechnung:

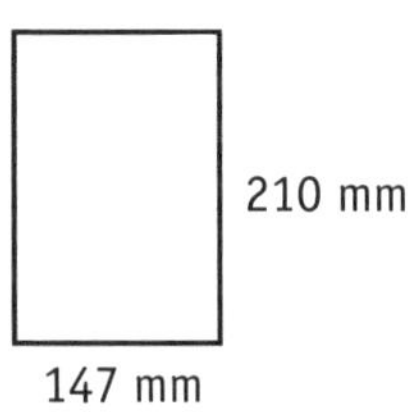

147 mm
210 mm
357 mm

357 mm · 2
714 mm

714 mm = 71 cm 4 mm

Antwort: Für eine Heftseite braucht man **714 mm (71 cm 4 mm)** Klebeband.

---

2. Der Umfang des Quadrats ist um **6 cm** länger.
3. Für den quadratischen Teppich muss sie um **1 m 10 cm** mehr Borte kaufen.
4. Der Umfang des Ackers ist um **76 cm** länger.
5. Er braucht **852 m** Draht.
6. Eine Seite des Taschentuchs ist **25 cm** lang.
7. Es werden **20 m 80 cm** Sesselleisten verbraucht.
8. Herr Knopf braucht den längeren Zaun. Der Umfang seines Grundstücks ist um **2 m** länger.
9. Das Grundstück von Herrn Knäbchen ist **41 m** breit.
10. Die größte mögliche Längsseite ist **173 cm** lang.

Wende dein Wissen über die Umwandlungskette der Flächenmaße hier an:

700 mm^2 =	7 cm^2	1 000 dm^2 =	10 m^2
500 cm^2 =	5 dm^2	1 300 m^2 =	13 a
2 500 a =	25 ha	3 400 ha =	34 km^2
5 670 mm^2 =	56 cm^2 70 mm^2	12 340 dm^2 =	1 a 23 m^2 40 dm^2
56 789 m^2 =	5 ha 67 a 89 m^2	716 253 a =	71 km^2 62 ha 53 a
1 km^2 25 ha =	125 ha	35 m^2 67 dm^2 =	3 567 dm^2
45 dm^2 89 cm^2 =	4 589 cm^2	4 m^2 6 dm^2 8 cm^2 =	40 608 cm^2
86 730 m^2 =	8 ha 67 a 30 m^2	3 km^2 5 ha 17 a =	30 517 a

Übungsbeispiele Flächen:
Bei Beispiel 1. siehst du, wie die Arbeit in deinem Heft aussehen sollte:

Angabe: 1.
Frage: Wie viele cm^2 Buntpapier braucht man für eine Heftseite?
Rechnung:

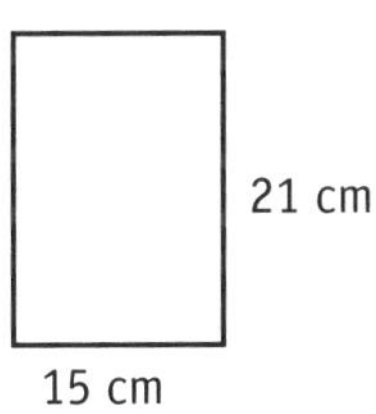

$21\ cm^2 \cdot 15$
210
105
$315\ cm^2$

Antwort: Für eine Heftseite braucht man **315 cm^2** Buntpapier.

---

2. Die Fläche des Quadrats ist um **1 dm^2 75 cm^2** größer.
3. Der **quadratische Teppich** deckt die größere Fläche ab, um **5 m^2 23 dm^2** mehr.
4. Die Fläche des Ackers ist um **46 a 4 m^2** größer.
5. Es kostet **225 940 €**.
6. Die Fläche, die noch als Garten zur Verfügung steht, ist **27 a 31 m^2** groß.
7. Die restliche Fläche ist **70 a 43 m^2** groß.
8. Es werden **784** Fliesen benötigt.
9. Frau Schlossers Grundstück hat die größere Fläche. Es ist um **93 m^2** größer.
10. Die gesamte zu streichende Fläche ist **38 m^2 80 dm^2** groß.

Beschreibe nun die einzelnen Formen genau:

	Flächen	**Kanten**	**Ecken**
Würfel	6 quadratische Flächen	12 Kanten	8 Ecken
Quader	6 rechteckige Flächen	12 Kanten	8 Ecken
Zylinder	2 Kreisflächen, 1 rechteckige Fläche	2 Kanten	0 Ecken
Kugel	1 Fläche	0 Kanten	0 Ecken
Pyramide	1 quadratische Fläche, 4 dreieckige Flächen	8 Kanten	5 Ecken
Kegel	1 Kreisfläche, 1 Fläche	1 Kante	1 Ecke

Überlege, ob du den Körper rollen oder kippen kannst. Ein Körper kippt über eine Kante. Kreuze in der richtigen Spalte an. Ist auch beides möglich?

	rollen	**kippen**		**rollen**	**kippen**
Würfel		x	Kugel	x	
Quader		x	Pyramide		x
Zylinder	x	x	Kegel	x	x

Zeichne zu diesen Geraden parallele Gerade im Abstand von 1 cm, 14 mm und 5 mm. Verwende dein Geodreieck!

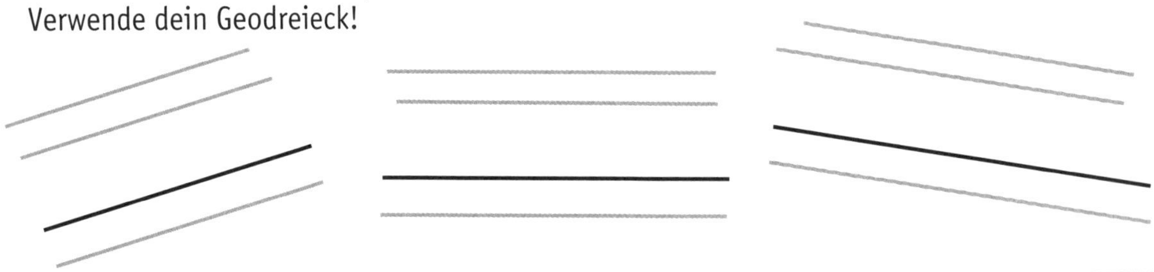

Zeichne Gerade, die auf diese Geraden normal stehen, das heißt, mit ihnen einen rechten Winkel bilden. Verwende dein Geodreieck.

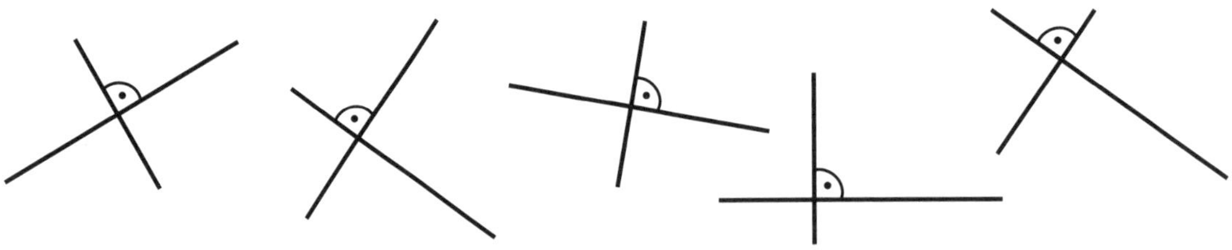

Stell dir vor, du benützt die Flächen der Körper als Stempel.
Zu welchem Körper passt dieser Abdruck?
Es gibt mehrere Möglichkeiten!

 Würfel, Pyramide

 Quader

 Kegel, Zylinder

Pyramide

Welchen Abdruck hinterlässt eine Kugel? **Punkt**

So waren die Zahlen und Wörter richtig einzusetzen:

Der Umfang ist die **Summe** aller Seitenlängen. Den Flächeninhalt misst du, indem du feststellst, wie oft eine **Flächeneinheit** in dieser Fläche enthalten ist. Pyramide, Kegel und Würfel sind geometrische **Körper**. Die Umwandlungszahl bei den Längenmaßen ist **10**. Außer beim Kilometer, da ist sie **1 000**. Die Umwandlungszahl der Flächenmaße ist **100**. Beim Quadrat berechnest du den Umfang, indem du die **Seitenlänge** mit **4** multiplizierst.

So waren die Begriffe zuzuordnen:

Umfang: Länge, Seitenlänge, m, dm, Breite, cm, mm, Länge, km
Körper: Quader, Pyramide, Kegel, Zylinder, Würfel, Kugel
Fläche: Dreieck, cm^2, ha, Kreis, m^2, mm^2, Quadrat, km^2, Rechteck, a, ha

---

Auflösung des Tests:

1. a) Bei den Gewichten lautet die Umwandlungskette **• 10, • 100, • 1000**.
2. b) Bei Hohlmaßen und Währung lautet die Umwandlungszahl gleich, nämlich **• 100**.
3. b) Dieser geometrische Körper heißt **Zylinder**.

4. b) Die Maßeinheit für Flüssigkeiten heißt **Liter**.
5. b) Die kleinste Einheit der Gewichte ist **Gramm**.
6. a) Die Summe aller Seitenlängen einer geometrischen Figur ist der **Umfang**.
7. b) Dieser geometrische Körper heißt **Quader**.

8. a) Das größte Flächenmaß heißt **Quadratkilometer**.
9. a) Größen, bei denen mehrere Maßeinheiten genannt werden, nennt man **mehrnamige Größen**.

Bei Beispiel 1. siehst du, wie die Arbeit in deinem Heft aussehen sollte:

Angabe: Im Eissalon Luca wurden vorige Woche 17 kg Bananen verbraucht.
Frage: Wie viel musste Herr Luca dafür bezahlen, wenn 1 kg Bananen 89 c kostete?
Rechnung:

1 kg . . . . 89 c	89 c · 17
17 kg . . . . ? c	89
17 kg . . . . . 15 € 13 c	623
	1 513 c = 15 € 13 c

Antwort: Herr Luca musste für die Bananen 15 € 13 c bezahlen.

Übungsbeispiele Schlüsse:

2. A: Die Erzieherin muss **19 € 76 c** bezahlen.
3. F: Wie viel muss Familie Prinz bezahlen?
   A: 9 Tage im Appartement kosten **1 206** €.
4. A: Eine Tennisstunde kostete **12** €.
5. F: Wie teuer ist eine Schachtel?
   A: Eine Schachtel kostet **72 c**.
6. F: Wie viel kostet das Menü pro Person?
   A: Ein Menü kostet **5** € **65 c**.
7. A: Lea muss **1** € **35 c** bezahlen.
8. F: Wie viel kosten 23 Schlecker?
   A: 23 Schlecker kosten **5** € **29 c**.
9. F: Wie viel muss der FC Hau-daneben für die Reinigung bezahlen?
   A: Die Reinigung kostet **199** € **50 c**.
10. F: Wie viele Stäbe kann Alfi abschneiden?
    A: Alfi erhält **24 Stäbe** für den Baukasten.
    3 cm bleiben ihm übrig.
11. F: Wie viele Liter Treibstoff verbrauchte sie?
    Wie oft musste sie tanken?
    A: Sie verbrauchte **1 456 l** Treibstoff.
    Sie musste **26 Mal** den Tank voll füllen.

$\frac{2}{8}+\frac{4}{8}=\frac{6}{8}$	$\frac{1}{4}+\frac{1}{4}=\frac{2}{4}$	$\frac{2}{4}+\frac{1}{4}=\frac{3}{4}$	$\frac{3}{5}+\frac{1}{5}=\frac{4}{5}$	$\frac{3}{6}+\frac{1}{6}=\frac{4}{6}$	$\frac{2}{8}+\frac{2}{8}=\frac{4}{8}$
$\frac{5}{8}-\frac{3}{8}=\frac{2}{8}$	$\frac{3}{6}-\frac{2}{6}=\frac{1}{6}$	$\frac{7}{8}-\frac{5}{8}=\frac{2}{8}$	$\frac{2}{4}-\frac{1}{4}=\frac{1}{4}$	$\frac{3}{4}-\frac{1}{4}=\frac{2}{4}$	$\frac{4}{5}-\frac{3}{5}=\frac{1}{5}$
$\frac{8}{8}-\frac{3}{8}=\frac{5}{8}$	$\frac{4}{8}+\frac{1}{8}=\frac{5}{8}$	$\frac{7}{4}-\frac{5}{4}=\frac{2}{4}$	$\frac{2}{9}+\frac{5}{9}=\frac{7}{9}$	$\frac{3}{8}+\frac{1}{8}=\frac{4}{8}$	$\frac{1}{6}+\frac{5}{6}=\frac{6}{6}$

Brüche benennen:

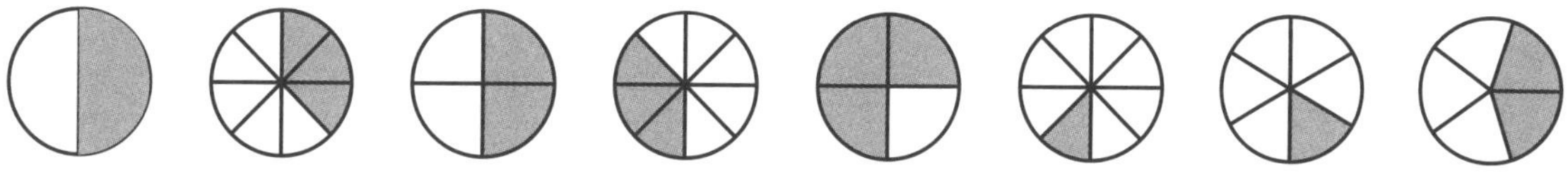

$\frac{1}{2}$ $\frac{3}{8}$ $\frac{2}{4}$ $\frac{3}{8}$ $\frac{3}{4}$ $\frac{1}{8}$ $\frac{1}{6}$ $\frac{2}{5}$

Bemale:

$\frac{2}{8}$ $\frac{1}{4}$ $\frac{5}{8}$ $\frac{3}{4}$ $\frac{1}{2}$ $\frac{3}{6}$ $\frac{2}{4}$ $\frac{4}{8}$

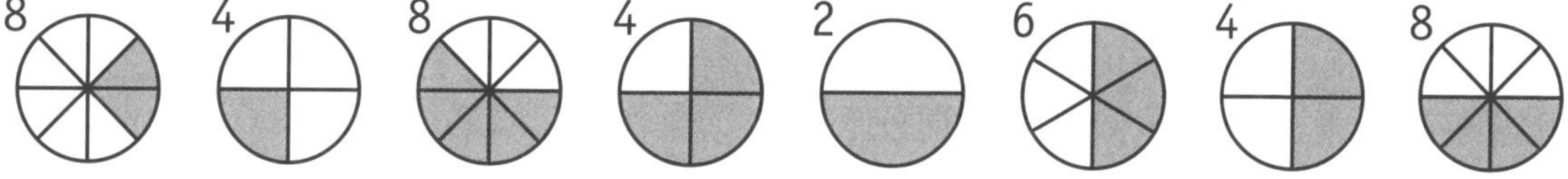

Überprüfe und setze =, < oder > ein:

$\frac{1}{4}=\frac{2}{8}$	$\frac{2}{8}<\frac{1}{2}$	$\frac{3}{4}>\frac{3}{8}$	$\frac{3}{6}=\frac{1}{2}$	$\frac{1}{2}<\frac{5}{8}$	$\frac{1}{8}<\frac{1}{4}$
$\frac{3}{8}>\frac{1}{4}$	$\frac{5}{5}>\frac{1}{2}$	$\frac{6}{8}=\frac{3}{4}$	$\frac{2}{5}<\frac{7}{8}$	$\frac{2}{16}=\frac{1}{8}$	$\frac{8}{16}=\frac{1}{2}$

Die folgenden Brüche sind größer als ein Ganzes.
Bei einem Bruch, der größer ist als ein Ganzes, ist der Zähler größer als der Nenner.
Man spricht auch von einem unechten Bruch.

$\frac{5}{4}=1\frac{1}{4}$	$\frac{7}{5}=1\frac{2}{5}$	$\frac{3}{2}=1\frac{1}{2}$	$\frac{6}{3}=1\frac{1}{4}$	$\frac{9}{6}=1\frac{3}{6}$	$\frac{10}{8}=1\frac{2}{8}$
$\frac{14}{4}=3\frac{2}{4}$	$\frac{16}{7}=2\frac{2}{7}$	$\frac{7}{2}=3\frac{1}{2}$	$\frac{23}{8}=2\frac{7}{8}$	$\frac{6}{3}=2$	$\frac{17}{5}=3\frac{2}{5}$

Wandle um:

eine halbe Stunde = 30 Minuten	$\frac{1}{4}$ m = 25 cm	$\frac{3}{4}$ kg = 75 dag
ein halber Meter = 50 Zentimeter	$\frac{3}{4}$ h = 45 min	$\frac{1}{4}$ h = 15 min
ein viertel Kilogramm = 25 Dekagramm	$\frac{1}{2}$ kg = 500 g	$\frac{1}{2}$ kg = 500 dag
ein achtel Kilogramm = 125 Gramm	$\frac{3}{4}$ m = 75 cm	$\frac{3}{8}$ kg = 375 g

Verbinde die Anzeigen der digitalen Uhren und jener Uhren mit Zeigern, die die gleiche Zeit anzeigen: Hier sind die richtigen Zeilen untereinander geschrieben.

10.23 | 11.12 | 12.11 | 18.14 | 9.21 | 3.17 | 5.38 | 7.01

Rechne nun mit den Zeitmaßen:

1 min = 60 sec	2 min = 120 sec	8 min = 480 sec
100 min = 6 000 sec	4 min = 240 sec	25 min = 1 500 sec
1 h = 60 min	2 h = 120 min	8 h = 480 min
24 h = 1 440 min	48 h = 2 880 min	12 h = 720 min
1 d = 24 h	2 d = 48 h	8 d = 192 h
66 d = 1 584 h	365 d = 8 760 h	150 d = 3 600 h
115 min = 1 h 55 min	223 min = 3 h 43 min	536 min = 8 h 56 min
248 sec = 4 min 8 sec	189 sec = 3 min 9 sec	527 sec = 8 min 47 sec
36 h = 1 d 12 h	72 h = 3 d	119 h = 4 d 23 h

1 h 20 min 5 sec = 4 805 sec   2 h 5 min 38 sec = 7 538 sec

Textaufgaben:

1. Wer hat flotter gearbeitet? **Hannes war um eine Minute flotter!**
2. Welcher Film dauert länger? **Der Film in Saal 2 dauert um 10 min länger.**
3. Wie viele Minuten vor 8 Uhr kommt er in der Schule an?
   Hans kommt 12 Minuten vor 8 Uhr an.
4. Wann kommt Renate an? **Renate kommt um 14.50 Uhr an.**

Auf manchen Uhren ist nachts 10 Uhr zu lesen, gemeint ist aber 22 Uhr. Kannst du die folgenden Zeiten in Tag- bzw. Nachtzeiten umschreiben?

14 Uhr = **2 Uhr**	7 Uhr = **19 Uhr**	3 Uhr = **15 Uhr**	20 Uhr = **8 Uhr**
21 Uhr = **9 Uhr**	11 Uhr= **23 Uhr**	19 Uhr = **7 Uhr**	18 Uhr = **6 Uhr**
16 Uhr = **4 Uhr**	2 Uhr = **14 Uhr**	5 Uhr = **17 Uhr**	4 Uhr = **16 Uhr**
24 Uhr = **12 Uhr**	9 Uhr = **21 Uhr**	17 Uhr = **5 Uhr**	6 Uhr = **18 Uhr**

Sicher hast du bemerkt, dass der Unterschied immer 12 Stunden beträgt. Das kommt daher, dass an einem Tag der Stundenzeiger die 12 Stunden auf der Uhr 2 x umrundet. Bei manchen Uhren wird am Nachmittag weitergezählt, das ergibt: 12 + 1 = 13 Uhr (1 Uhr am Nachmittag).

Übungsbeispiele Ungleichungen:
Vergleiche die angegebenen Zahlen und setze =, > oder < ein.

48 < 57	62 > 47	98 > 89
171 > 117	99 = 99	897 > 799
451 < 541	6 742 < 7 624	2 085 = 2 085
1 943 > 1 934	78 493 = 78 493	8 574 < 8 754
128 678 > 127 876	800 123 = 800 123	634 521 < 896 351
199 849 < 911 021	442 632 > 424 514	324 242 > 76 234

Nun musst du auf einer Seite rechnen, um die Werte vergleichen zu können:
Setze =, > oder < ein.

14 + 37 = 51	45 · 17 = 765	254 – 47 < 210
138 + 56 < 236	32 · 9 > 285	8 643 – 568 < 8 121
7 451 + 82 = 7 533	1 496 : 22 < 70	954 – 658 = 296
67 + 48 + 27 > 139	4 806 : 54 = 89	3 004 – 304 = 2 700

Nun musst du auf beiden Seiten rechnen und die Ergebnisse danach vergleichen.
Setze =, > oder < ein.

364 + 48 = 348 + 64	3 575 – 845 > 3 997 – 1 627
257 + 96 > 275 + 69	7 254 – 895 > 8 340 – 2 090
847 + 62 < 867 + 43	57 · 38 > 58 · 37
954 + 17 > 1 253 – 285	918 : 27 < 936 : 26

Vergleiche auch die folgenden Werte:
Setze =, > oder < ein:

$\frac{1}{2} < 1$	$\frac{3}{2} > 1$	$\frac{4}{3} > 1$	$\frac{7}{8} < 1$	$\frac{6}{6} = 1$
$\frac{5}{5} = 1$	$\frac{3}{4} < 1$	$\frac{2}{2} = 1$	$\frac{4}{4} = 1$	$\frac{2}{3} < 1$
$1\frac{1}{2} = \frac{6}{4}$	$1\frac{2}{3} > \frac{4}{3}$	$\frac{3}{16} < \frac{5}{16}$	$2\frac{1}{4} = \frac{18}{8}$	$\frac{7}{9} = \frac{14}{18}$

So waren die Wörter richtig einzusetzen:

Brüche bestehen aus **Zähler**, **Nenner** und einem **Bruchstrich**. Wenn der Zähler größer ist als der Nenner, dann ist der Wert des Bruches **größer** als ein Ganzes. Wenn Zähler und Nenner gleich groß sind, dann ist der Wert **genau** ein Ganzes. Beim Addieren von gleichnamigen Brüchen addiert man die **Zähler**, die **Nenner** bleiben unverändert.

So waren die Begriffe zuzuordnen:

Minute: das Sechzigstel einer Stunde, 60 Sekunden

Stunde: 60 Minuten, 3 600 Sekunden, das Vierundzwanzigstel eines Tages

Tag: 24 Stunden, 1 440 Minuten, 86 400 Sekunden, das Dreißigstel des Monats April

Woche: 7 Tage, 168 Stunden, 10 080 Minuten, 604 800 Sekunden

Monat: 30 Tage, 4 Wochen, 720 Stunden, ein Zwölftel des Jahres

Jahr: 12 Monate, 365 Tage, 52 Wochen

Auflösung des Tests:

1. a) Das Zeichen > heißt **größer als**.
2. c) Das Zeichen = heißt **ist gleich**.
3. b) Das Zeichen < heißt **kleiner als**.
4. a) 3 + 4 = 7 ist eine **Gleichung**.
5. b) 3 > 2 ist eine **Ungleichung**.
6. a) Bei Ungleichungen kann es **oft viele Lösungen geben**.

Schlussrechnungen:

1. Dieses Beispiel ist eine **Schlussrechnung**.

1 m . . . . 24 €
16 m . . . . ? €
16 m . . . . . . 384 €

2. Dieses Beispiel ist **keine Schlussrechnung**.

8.15 + 15 min = 8.30
8.30 + 9 h = 17.30
Arbeitszeit: 9 h 15 min

3. Dieses Beispiel ist eine **Schlussrechnung**.

4 M . . . . . 324 min
1 M . . . . . . 81 min
3 M . . . . . 243 min

Übungsbeispiele Sachrechnungen – Mittelwerte:
Eine Tabelle – viele Möglichkeiten für Übungen – berechne mit Hilfe dieser Tabelle:
Arbeite in deinem Heft!

1. **112** Kinder besuchen die Schule Rentu.
2. **111** Kinder besuchen die Schule Lettim.
3. **50** Mädchen besuchen die Schule Lettim.
4. **57** Mädchen besuchen die Schule Rebo.
5. **58** Knaben besuchen die Schule Rentu.
6. **56** Knaben besuchen die Schule Rebo.
7. Die meisten Kinder besuchen die **2. Schulstufe der Schule Rebo**.
8. **87** Kinder besuchen die 1. Schulstufe in Muggel.
9. In Muggel besuchen durchschnittlich **28** Kinder eine Klasse.

Arbeite in deinem Heft und achte dabei auf das genaue Schreiben der Ziffern und eine übersichtliche Anordnung!

1. Franz hat **72 Rechnungen** geübt, Heinz **64** und Sepperl **108**.

2. Er fing im August **180 Mäuse**.

3. Blitzgneißer brauchte **1 Stunde und 15 Minuten**.
   Schlafmütze brauchte **2 Stunden 30 Minuten**.

4. Pro Kinobesuch gaben sie pro Person **6 €** aus.
   (Unnötige Information: Alle verspeisten dabei jedes Mal eine Riesentüte Popcorn.)

5. An einem Tag werden **293 Schachteln** mit je drei Käseecken erzeugt.

6. An einem Tag fuhr er **183 km**. Er bekommt **62 € 22 c**. Für diesen Monat ergibt das **1 555 € 50 c**.

7. Die Summe heißt **5 329**.

8. Karla hat **105 Wörter** geübt und Lotte **168**.

9. Die Sendung kostet **14 112 €**.

Übungsbeispiele Gehirnakrobatik:

1. Wie viele Eier bleiben noch im Karton?
16 Eier bleiben übrig.

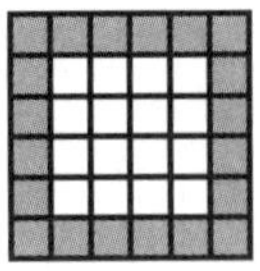

2. Wo sitzt Gustav?
Gustav sitzt rechts von Niki
gegenüber von Enzo.

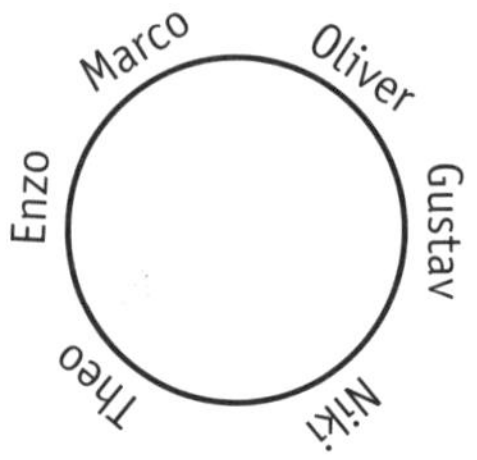

3. Wie viele Bäume sind es? **Es sind 40 Bäume.**

4. Wie viel wiegt die Mutter? **Sie wiegt 48 kg.**
Tochter: 80 kg – 16 kg = 64 kg   Mutter: 32 kg + 16 kg = 48 kg
64 kg : 2 = 32 kg

5. Welche Zahl denkt sich Gloria? **Gloria denkt sich 25.**

6. Der Altersunterschied beträgt **5 Jahre** – er bleibt gleich!

7. Wie alt sind Mutter und Vater? **Mutter ist 37 Jahre alt und Vater 39 Jahre.**

8. Wie alt sind die Kinder?
Alfred 1 Teil
Gregor 2 Teile
zusammen 3 Teile   21 : 3 = 7   1 Teil = 7   2 Teile = 7 · 2 = 14
Alfred ist 7 Jahre, sein Bruder Gregor 14 Jahre alt.

9. Wie viele Kinder sind es? **Es sind 23 Kinder.**

10. Kleine Fläche 1 Teil
Große Fläche 4 Teile
Zusammen 5 Teile
Die kleine Fläche misst 20 m² und die große Fläche 80 m².